cem vezes uma

Ana Brêtas

1ª edição | Editora Jandaíra
São Paulo | setembro de 2020

"(...) ficção é como uma teia de aranha,
presa por muito pouco, mas ainda assim presa
à vida pelos quatro cantos".

Virginia Woolf | *Um teto todo seu*

sumário

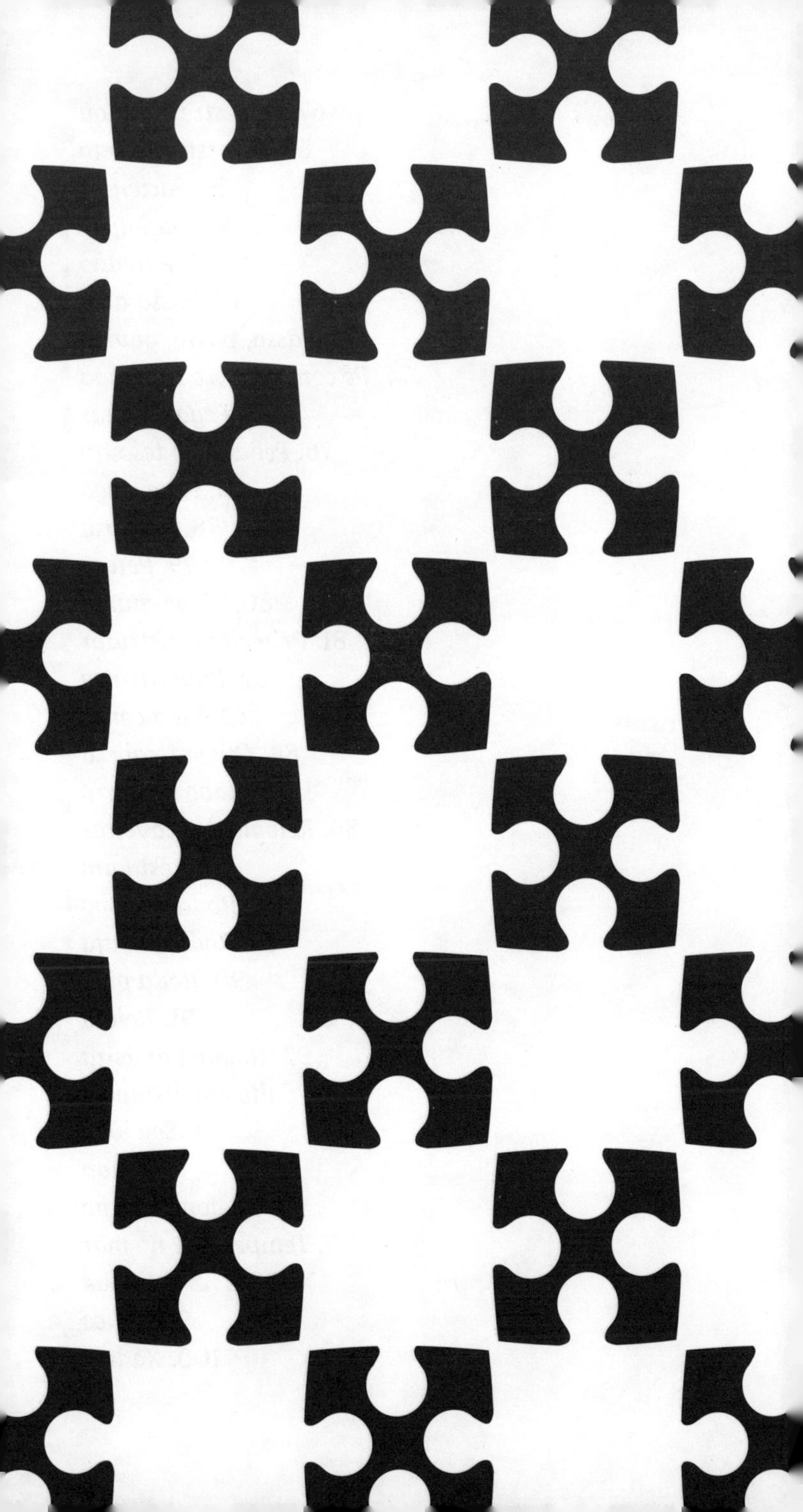

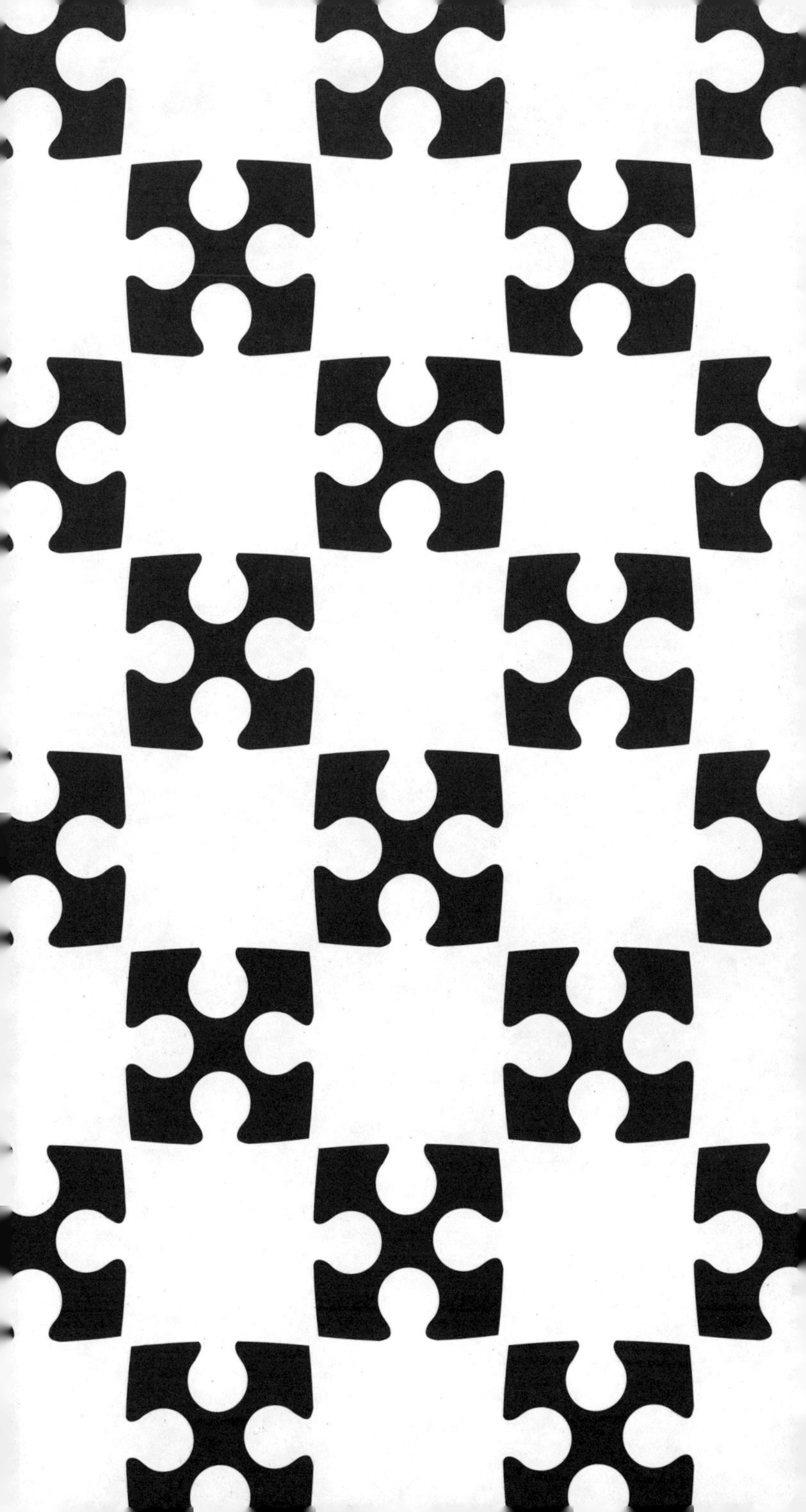

| *ábaco*

Nasceu única, cresceu calculando – multiplicou trabalho, subtraiu vida, somou desejos, dividiu saberes – a velhice não a emancipou: morreu contando carneirinhos numa tarde de outono.

| *amarelinha*

Três vezes por semana o sorveteiro entrega sua perna aos cuidados da enfermeira acolhedora de gente-doente. Ela estuda, cuida, estuda mais ainda, cuida dele por inteiro e, também, da grande úlcera que traz um pouco acima do tornozelo esquerdo; ensina cuidado e autocuidado cercada por estudantes--discípulos. Ele não falta aos atendimentos, guarda o carrinho de sorvete na entrada do posto de saúde, entra confiante na sala de enfermagem, até a dor quase insuportável ele doma com fé na cuidadora. Cada centímetro cicatrizado ganha salva de palmas, a enfermeira registra passo a passo os procedimentos e os resultados no grosso prontuário. Hoje, 28 semanas depois, venceram a úlcera, a perna se exibe sã. Entre choro-risonho, abraço-enlaçado, ele agradece aquela que não desistiu dele; comemoram com uma rodada de picolé de groselha. Poucas horas depois, quando o posto está quase fechando, o sorveteiro invade a sala de enfermagem aos prantos, mira a cuidadora, dispara sem freio:

– E agora? Perdi a ferida. E agora, o que eu vou fazer sem você?

| *aperto*

Saí de casa para ser feliz, camisa de linho bege, calça jeans, perfume na minha medida. Metrô entulhado. Espero um trem, não entro, mais um, também não dá; no terceiro disputo com a jovem o empurra-empurra, ganho a batalha no braço. Entro soberba. No trem, coloco a mochila na frente do corpo – orientação do condutor –, o espaço é curto. O homem com cara de cansado me oferece lugar no assento preferencial, recuso, ele insiste, recuso três vezes, na quarta invento:

– Aqui no alto tem mais oxigênio, no banco te resta gás carbônico produzido por esse povaréu respirando junto.

Ele levanta rápido, agradece o ensinamento, o assento se mostra no vazio. A lei da física é desprezada; ali, corpos ocupam o mesmo espaço. Não seguro na barra de apoio, não precisa. Fecho os olhos, preguiça para olhar gentes. O ar-condicionado socializa o gelo. Sinto algo diferente nas costas, conduzo a mão esquerda pela coluna lombar até o fecho do sutiã, os dedos ficam melados, volto com a mão para a frente do corpo, cheiro. Neutrox! Usei muito na adolescência. Viro a cabeça sobre o ombro direito, lá está a moça com cabelo comprido, molhado, lambuzando minha camisa de linho. Quero mastigar a jovem, não alcanço, reclamo. A moça encosta mais ainda o cabelo nas minhas costas, brado furiosa, alto, muito alto mesmo:

– Tira a porra deste cabelo da minha camisa.

Tal qual o milagre do mar Vermelho, um caminho se abre, corpos se remodelam no aperto. A loucura abre alas, sigo solta por mais três estações.

| *atravessando a barreira*

Banheiros me fascinam, não pela beleza, mas pela utilidade. Conheço vários. Equilíbrio e criatividade não me faltam durante o ato supremo de urinar – urinar, pois não me atrevo a fazer outras coisas em banheiros que não são o meu. Tem aquele que brilha tanto que dá pena de usar; certa vez, conheci um cujo piso reluzia como espelho, um perigo às descuidadas, via-se tudo pelo vão das portas. E também existe aquele que tem a pretensão de urinar em você, muito comum nos postos de gasolina em estradas vicinais; nas autoestradas a concorrência é grande, e banheiro limpo, um diferencial à parada para o descanso do viajante. Banheiro misto demanda disciplina para o uso; privada e mictório no mesmo espaço permitem experimentações. Na bolsa carrego o urinol feminino – funil –, aprecio fazer xixi em pé. Nos banheiros dos casarões transformados em centros de cultura, bidês se mostram; vale visitá-los, exibem o status de uma época. Banheiro de rodoviária se prima pelo perfume da lavanda misturado ao do sangue à mostra em absorventes mal acomodados nas lixeiras – garante a permanência curta da usuária no local. Os de laboratórios clínicos cheiram a cloro, quando o uso é inevitável não encosto a mão, tampouco o corpo, em absolutamente nada, demanda muito equilíbrio. Banheiro químico eu nunca usei, também não pretendo. E as portas das cabines? Quem nunca teve problema com fechaduras, maçanetas, ferrolhos? Uma vez escapei da cabine escorregando o corpo pelo vão entre o chão e a porta – vergonha, desespero, nojo, muito nojo. Agora, suspense é levantar a tampa da privada antes do uso; tudo pode aparecer. Quando só se vê a água na bacia o coração alivia antes da bexiga, maravilha. Hoje em dia, o que eu gosto mesmo é de observar de longe a posição dos pés das mulheres durante o uso do vaso sanitário. Enquanto lavo as mãos, acompanho: primeiro se voltam para a porta da cabine; em seguida, colocam-se lado a lado na frente da privada; então, ouve-se o barulho do xixi – os mais diversos; às vezes flatos vêm junto. Aí os pés retornam à posição inicial, ouve-se a descarga e a usuária sai aliviada. Quando os pés ficam inalterados voltados para o vaso, e o xixi parece esguicho potente contra um muro, pode crer que esse banheiro é da diversidade, acolhe princesas poderosas. Indispensável.

| *balança*

Perto da escola, numa praça muito frequentada por crianças e suas babás, três garotas trocam confidências: finalmente, mocinhas. A última a experimentar a emoção conta que o pai chegou do trabalho com dois ramalhetes de rosas vermelhas cheirosas: um, como de costume, deu para a mulher-mãe; o outro, com onze rosas, deu para ela – uma para cada ano-criança. No cartão, desejou-lhe felicidade e juízo na vida. Emocionada, conta para as amigas que a mãe a encheu de beijos e ajudou a arrumar as flores no vaso, que ganhou lugar de destaque na sala. Uma das garotas esnoba, dizendo que os pais lhe pediram que escolhesse o presente para essa data tão importante na vida de uma garota; ela não titubeou, pediu logo um Super Nintendo:

– Amei! Vocês precisam ir jogar comigo.

A terceira, inconformada com tudo o que ouvia, garantiu que teria uma conversa muito séria com os pais:

– Eles me deram um pacote de absorventes e orientações sobre como usar.

Aos poucos a sala de estar foi transformada: o sofá, as poltronas e a mesa de centro deram lugar a duas colunas prateadas colocadas em fila. O espelho na parede foi coberto. Sobre o piano, uma colcha de crochê bege. Os ventiladores que ficavam nos quartos foram dispostos em cada um dos quatro cantos da sala.

Adultos de preto chegavam.

O meu pai? Continuava colorido.

Murmuravam sons enigmáticos. Passavam por mim sem olhar nos meus olhos. Vez ou outra uma mão acarinhava meus cabelos.

Não lembro o que eu vestia naquele dia. Não importa.

Eu era a única criança; às outras aquele lugar não era permitido. Ouvi quando meu pai ditou para os adultos tios e tias que eu ficaria com ele. Só com ele.

Foi bom.

Apesar de camuflada, ali era a minha casa.

O janelão da sala estava aberto, embora nada indicasse festa. Por ele, vi quando um carro preto entrou de ré e estacionou na metade da rampa da garagem. Saíram dois homens, que pegaram no porta-malas uma grande caixa, levaram até a sala e colocaram sobre as duas colunas prateadas. Desparafusaram as trancas, levantaram a tampa e a encostaram na parede. Voltaram para o carro, pegaram e trouxeram para a sala duas velas – maiores do que eu – e algumas flores. Arrumaram tudo e foram embora.

O cheiro mudou. Flores e velas, uma combinação incômoda para os meus sentidos.

Não alcançava a caixa. O meu pai me pegou no colo. Triste. Mostrou o que tinha dentro: uma boneca grande com um vestido vermelho, imóvel, igual à minha mãe. E mais flores. Vazio. Silêncio.

Um tio contou que ela tinha sido chamada pelos anjos.

Nunca mais voltou.

A morte é mais honesta do que os anjos. Não se esconde: mata e pronto.

A avó conta para o neto que o cachorro morreu, de velhice, no sofá da sala. Descasca uma maçã, pica, coloca no prato, seca as lágrimas dele com a ponta do guardanapo. Ele retribui com um abraço de urso. Combinam enfeitar uma caixa para guardar coisas do amigo. No guarda-roupa, várias opções; escolhem a caixa que veio com o tênis, presente do Natal passado. Sobre a mesa da cozinha ela abre o computador, e juntos se debruçam sobre as imagens guardadas na pasta “Banzé”. Muita história a cada foto clicada na tela; o cachorro havia posado com muita gente naquela casa.

Fotos escolhidas, a impressora as materializa; em seguida a tesoura e a cola auxiliam no trabalho do embelezamento, transformam recortes de revista, botões, fitas coloridas e fotos na Caixa do Banzé, aquela que o neto vai guardar até esquecer. Finalizam o trabalho passando com os dedos uma fina camada de cola branca sobre toda a caixa. Agora só esperar secar.

– Vó! Amo o Banzé pra sempre. Amo você também.

A avó assopra lágrimas para cima, diz que o olho está ardendo por causa do cheiro da cola. O neto lhe dá beijos sobre as pálpebras – para sarar logo –, pergunta por que o olho dela é enrugado. Ela conta que olho de velha é assim. Ele quer saber se quando ela terminar de ficar velha vai morrer como o Banzé. A avó diz que sim e garante que eles não devem se preocupar com aquilo naquele momento. O menino vai para a sala buscar no armário as coisas do cachorro e volta equilibrando entre os braços duas bolinhas, o ursinho de plástico, coleira e um pingente em forma de coração com o nome do amigo gravado.

Vira para a avó, que guarda os pratos.

– E depois que morre. O que acontece?

Ela respira fundo, agacha, sorri de um jeito esquisito.

– Vira saudade, pra guardar na caixa de papelão.

| *batata quente*

Passei boa parte da infância implorando por irmão, um garoto; mas se fosse menina tudo bem, queria alguém para brincar de casinha, esconde-esconde, correr na rua. O amigo invisível, muito parado, me aborrecia. Minha mãe não cedeu – logo ela, a décima quinta de uma prole de dezesseis irmãos –, cresci filha única. Quando eu insistia, ela roçava os dedos no meu cabelo sempre bagunçado e inventava alguma brincadeira deliciosa para passar o tempo comigo. Garantia que um dia eu compreenderia. Chegou. Há dias pari trigêmeos. Alguém quer dois?

Primeiro eu, segundo eu, terceiro eu – assim começa qualquer apresentação –, não engana ninguém. Na empresa divide juízo, amor ou indiferença, impossível outro sentimento. Exuberante, mirrada na altura, potente na presença, em nada lembra o progenitor, aquele que construiu o império que a dama conduz. Trabalhei quatro dezenas de anos com ele. Quando morreu, a herdeira agradeceu meu trabalho, me ofereceu uma festa de despedida com direito a bolo e café, depois me encaminhou ao Departamento Pessoal. Forma séquitos, gentes como ela. Palestra em seletos auditórios sua eficiente tese sobre mastigação humana. Ensina que na primeira mordida os incisivos são imprescindíveis; o ouvinte precisa convencer a vítima de que ela já foi boa e deve desistir. A outra dentada é desferida na toca; a palestrante instrui à cobiça do lugar, desalojar com prazer. Os caninos dão o golpe de misericórdia; a essa altura, incentiva a implantação de padrões de meritocracia, aumenta o sarrafo com gosto, garante que a vítima não vai conseguir pular. O que sobra manda colocar na máquina de moer. E, moída, a carne oculta o corpo golpeado. Parecia imortal. Ontem deu no obituário do *Jornal da Cidade*, numa nota pequena perdida na imensa folha: “A dama foi almoçada pelos discípulos em evento majestoso”.

Tempos difíceis no país. Muita coisa que ajudei a construir está sendo solapada na velocidade de água nervosa que machuca a sarjeta no dia de tempestade. Decidi! Não vou morrer de desgosto e, como o meu DNA não me deu a graça da demência, restou-me o emburramento. Alienação Já! Tenho engolido revistas semanais, até livros de autoajuda estou lendo. Os censurados pela turma terraplanista guardei na última prateleira da estante, com os do Paulo Freire (escondidos há meses), e depois me desfiz da escada com seis degraus, era impossível alcançá-los sem o risco da queda livre. Fisguei nas redes sociais artefatos contra a ciência, as vacinas, o aquecimento global. Até aprendi a rezar – hei de ter a graça da ideologia sem ideologia –, sofrida aprendizagem. Troquei meu guarda-roupa, agora reina o tom rosa; roupa azul, nunca mais. Resisti a doar as camisetas lilases; muitas passeatas enfrentamos juntas, gás lacrimogênio, bala de borracha, não tenho coragem de vê-las partir. Lacrei numa caixa embaixo das roupas pretas; essas sim precisam de lugar de destaque – nunca usei tantas – sobre a paleta rosa. Comprei alguns santos e deuses. Confesso que tenho predileção pelas santas e deusas, mas não se prestam ao trabalho de alienar humanos – desisti delas. Tenho dificuldade com eles, imprecisos no que prometem. Já os coloquei no sereno, virei de ponta-cabeça, amarrei corda no pescoço, fiz carinho, dei beijos apaixonados. Nada. São teimosos, acho que a culpa é da resina usada para moldá-los. Vou tentar milagre com os feitos em barro – mais frágeis. Quem sabe, sensíveis ao meu sofrimento, encerram minha agonia. Velas? Ótima oferenda, mas errei na dose, acendi dez ao mesmo tempo, uma de cada cor. Por pouco não queima a cortina de seda, a parede do quarto saiu chamuscada. Para não levar meu anjo da guarda ao desespero, fiz um acordo com os deuses e os santos subornáveis – velas, nunca mais. Instalei no altar improvisado, ao lado da cama redonda, uma lâmpada de LED com controle remoto de cores e intensidade da luz. Minha mulher apetitou – entreguei-me com gozo, estremeci sob o arco-íris flamejante no espelho do teto –, transcendemos a idade da pureza glorificada pela dama da goiabeira.

| bobinho

Indomável, foi descartada de casa há uns vinte anos – a família acha feio o que não é espelho –, viveu na e da rua, entrelaçou a existência com outras na mesma situação, cuidou e foi cuidada por elas. Escondida na loucura, aprendeu cedo a arte do grito. Conta-se na maloca que ela morreu de rua, dias atrás, na maca do pronto-socorro municipal. No atestado de óbito, o médico escreveu "falência múltipla de órgãos". Tolinho, sabe pouco sobre a vida.

| *boca de forno*

Doceira de corpo cheio, seus doces extrapolam o espaço espremido da casa onde viveu por mais de meio século. Vizinha da Matriz, dividiu o forno-fogão com aulas de catecismo e arrumação do altar de Nossa Senhora, sua protetora. Os doces – segredo de família – deram estudo para os três filhos. O neto caçula multiplicou a casa com ela por muito tempo – a grande amiga dele –, modernizou as delícias açucaradas, lançou a avó nas redes sociais, criou marca: Doce Magia – gozo às papilas gustativas. Só não convenceu a matriarca a liberar as receitas guardadas na memória da velha e no envelope lacrado que confiou ao neto há bons anos para esquecer no armário até a morte dela. Ele respeitou, deixou adormecer na última prateleira com os brinquedos prediletos no seu adolescer. Ontem, depois da missa de sétimo dia, ele reuniu a família, ritualizou o envelope, e de dentro saltaram oito cadernetinhas de capa preta com folhas marcadas pelo tempo e por ingredientes de cozinha; nas linhas, a letra cursiva desenhada à pena pela avó desnudava muitas, muitas, muitas receitas. Tesouro a ser desbravado, ela instituiu como medida na escrituração a moeda réis: quinhentos réis de araruta, mais duzentos e cinquenta réis de gordura, dois réis de bicarbonato, e por réis vai. Um achado para o irmão, as cadernetinhas da avó serão a matéria-prima da sua tese de doutoramento; o orientador economista se deslumbrou.

Vó, pode usar o meu peniquinho. Aí, né, você chama a mamãe pra ajudar a dar tchau pro xixi – ela fica feliz, dá gritinho, bate palmas –, aí, né, a gente joga o xixi na privada, dá descarga e tchau, xixi. Depois ela te beija a cabeça, coloca uma bolinha de gude na lata colorida e, quando a lata fica bem cheiona, ela te dá um presentinho. Pode usar, vó, você já tá grandona pra usar fralda.

Chega na casa radiante.

– Mãe, português é a melhor matéria da escola – anuncia, convicto. – Hoje a professora ensinou a importância da letra "s" no final das palavras, com ela a gente sabe quando o objeto (ou a pessoa) é um só ou mais do que dois.

A mãe, feliz da vida, serve o almoço caprichado – arroz, feijão, ovo estrelado sobre a couve refogada com alho. O seu garotão haverá de ser doutor, letrado, como as crianças da casa da patroa onde ela faxina duas vezes por semana. Entusiasmado com o que aprendeu, ele cantarola possibilidades do uso do "s" enquanto a mãe arruma a cozinha: um garfo, duas colheres, três facas, quatro copo, cinco prato, seis cadeiras, sete ovo, oito laranja, nove sabão. José é um, ele vai; Maria é uma, também vai. Pensativo, fica em silêncio por um tempo, rompe com um grito:

– Mãe! Descobri. Jesus vão, deus vão também. Eu sabia, são muitos.

| *bolinha de sabão*

De uns tempos para cá, meu corpo tem me deixado na mão; a cabeça dá a ordem, sempre foi assim, mas o resto se recusa ao movimento. Desejos encarcerados num corpo velho. Sonho ficar só. Sem acompanhante. Um dia inteiro. Tomar banho, usar o vaso sanitário e conseguir me limpar, vestir o que eu quiser. Sozinha, sem benevolências. Pintar os lábios. Abandonar o andador. Trazer de volta os tapetinhos de crochê. Desligar a televisão. Se cair, levantar com altivez. Tenho saudade da solidão.

Corpo novo? Nem pensar. Não comportaria quase um século de informações, sentimentos, reflexões. Amei. Fui amada. Tive filho, netos. Plantei árvores, várias. Escrevi histórias. Conheci lugares, pessoas. Não é depressão. É finitude. Simples assim. Quero morrer sentada na minha poltrona predileta ouvindo uma boa música. Eu me esforço. Fecho os olhos, fico quieta, diminuo o ritmo da respiração. A cuidadora me sacode e, diante do insucesso da morte, ri aliviada. Precisa do emprego.

Está tudo arrumado: o crematório pago, o vestido vermelho no armário. Flores e velas eu dispenso, juntas me causam incômodo. As cinzas, o vento que se incumba do esparramo. Renego cemitério, escraviza os vivos à manutenção dos túmulos, estraga a memória do morto.

Não acredito em deuses, tampouco em outra vida. Não desperdiço a que tenho. Vivi.

Não estou triste.

Cansei de enterrar amigos e ruminar as dores da falta até esculpir lembranças.

Em tempos líquidos amigos imaginários brotam em pencas na rede social, organizados em grupos ocupam gavetas virtuais diversificadas onde subjetividades se anulam. A Covid-19 desmascarou minhas relações fugazes – amigas do colégio, amigas da infância, amigas do trabalho, amigas da academia, amigas felizes, amigas não tão felizes, quase amigas, amigas para sempre, amigas queridas, amigas por um dia, amigas da família, só amigas, entre tantas outras composições –, amizades fluidas escondidas em coletivos. Deixei os grupos, exceto os de trabalho, obrigatórios no home office. O retiro domiciliar imposto pela pandemia me ofereceu tempo para pensar nas amigas que se perderam no dia a dia. Devota de são Longuinho, rogo ao Santo encontrar amigas viscerais, aquelas que continuam amigas apesar de mim. Listei-as no meu caderninho artesanal, procuro uma a uma, escrevo, telefono, recebo de volta a surpresa do reencontro. Gosto do exercício: resgato gente de quem sinto falta.

Ele garantiu – há vinte anos, no dia do casamento deles –, é por pouco tempo. Mentiu, a jovem herdou a sogra que não se apartou do caçula. O barulho dos chinelos no chão do corredor rastreava para a nora o local por onde a velha passava. Som distante, alívio; perto, tensão muscular. O perfume cítrico denunciava a perturbadora proximidade.

Filhos a jovem pariu uma, por economia de afeto. Submeteu-se. Tolerou palpites, os dedos da matriarca passeando nos móveis para buscar vestígio de poeira, as escolhas da cor da tinta para as paredes e das comidas aos domingos, a definição dos passeios nas férias, a disposição dos móveis na sala. Por duas décadas inteiras aturou pequenas e grandes coisas; até a semana passada.

A velha embruteceu. O marido assistiu em silêncio.

Não se matou para não dar gosto à velha de cuidar da neta. Dessa vez não engoliu. Ruminou. Suicidou só um pedaço, morte calculada, a placenta-sofrimento mandou para os diabos. Mudou o cabelo, a cor das roupas, o marido. Sacou a poupança. Pegou a filha. No aeroporto comprou duas passagens só de ida.

| *cadê? achou!*

Os meliantes apreendidos em flagrante exalam mau cheiro, a polícia não permite que se limpem. Enluvado, o policial lhes dá ordens sobre como devem se comportar. Os detidos exigem seus direitos – um banho, álcool em gel, qualquer coisa – e afirmam que não pegaram nada de valor na sacola maldita da dona cagada. A delegada repreende o linguajar, exige respeito. O investigador descreve o ocorrido:

– A vítima, professora de jardim de infância, fez uma parceria com o posto de saúde e coletou fezes das crianças para enviar para análise. Colocou todas as latinhas embrulhadas uma a uma em papel-jornal dentro de uma sacola para levar ao laboratório. Foi assaltada no ponto de ônibus por estes dois aí. Os nossos em ronda escolar os enquadraram no terreno baldio conferindo a mercadoria. Na ganância para abrir os pacotes, só perceberam a merda quando a sujeira já estava feita.

A delegada tenta discrição, a escrivã não segura, corre para o banheiro: bexiga caída. Na sala ao lado, a vítima presta depoimento. É a segunda vez que é assaltada naquele ponto de ônibus pelos mesmos meliantes – na primeira levaram a carteira. Ao narrar o ocorrido sua voz mingua a cada gargalhada, e contagia a delegacia.

| *cama de gato*

Caminhão invade casa de família, criança, única sobrevivente. Carro é alvejado por disparos de fuzil, bebê no cadeirão, único sobrevivente. Fogo consome o barraco, menina saiu para pedir pão, única sobrevivente. Enchente carrega avó, neta agarra a corda do socorrista, única sobrevivente. Bala perdida encontra o coração da grávida, feto, único sobrevivente. Sobraram. Não tinham vocação para anjo.

| *cara ou coroa*

Há quatro anos, com ou sem chuva, às seis da manhã, estão na rua. A vira-lata de raça guia a mulher para lugares que o faro determina, no percurso muitos como ela levam seus tutores ao passeio. Matilhas se formam e se desfazem no caminho, momento mágico – humanos se medem, trocam palavras, às vezes afetos. Os cachorros dominam essa arte, não mentem, quando desgostam rosnam ou desprezam; felizes, os rabos têm vida própria. Após o passeio, a vira-lata segue para o trabalho na agência de empregos, ela é a responsável pelo setor de seleção de pessoas.

| *carrinho de mão*

Não morreu de fome, de bala, de parto, de raiva; morreu de rir, de gozo, de amor, de saudade. Corpo desolado – chega a doer – não morrerá de velhice, veste roupa florida, pinta o cabelo de vermelho, capricha no batom – morte assistida –, o companheiro morre de amor, com mãos vazias chora-silêncio.

| *carrinho de rolimã*

Os mortos estão vivos em outro lugar. Os vivos estão mortos neste lugar. Os mortos estão vivos em outro lugar. Os vivos estão mortos nesse lugar. Os mortos estão vivos em outro lugar. Os vivos estão mortos em todo lugar. Os mortos estão vivos em outro lugar. Os vivos estão mortos. Os mortos em outro lugar. Os vivos jazem no morto-lugar.

| *casinha*

A janela do quarto emoldura a mãe com hematoma no pescoço. Do lado de fora, as meninas brincam na área de lazer do prédio. Comidinha de grama picada é oferecida para as bonecas – comer verdura faz crescer forte. Alimentadas, hora do cochilo da tarde – dormir faz ficar inteligente. Antes de deitá-las na caixa de sapato recheada com retalhos coloridos, as bonecas têm as mãos unidas com a das irmãs – rezar faz deus contente. As bonecas dormem, as meninas arrumam a casa, varrem e esfregam o chão, lavam e passam a roupa da família, cantam hinos de louvor, acordam as bonecas com beijos nas bochechas desbotadas, preparam o banho – tomar banho faz o papai ficar feliz –, vão ao mercadinho, preparam a janta, alimentam as bonecas – jantar antes do papai faz a mamãe feliz. As meninas colocam as bonecas para dormir, agora em caixas separadas, sem panos coloridos. Ao lado de cada boneca, um trapo grande cheio de nó chamado pai – ficar quietinha faz o papai não matar a mamãe.

| *castelo de areia*

A lama comeu a casa, engoliu os discos, as fotografias, o vestido de noiva que guardou para a sobrinha, os móveis, o marido. A lama só não levou as memórias, não deu conta de carregar os abusos infligidos pelo príncipe que se fez violento e a manteve naquele lugar por mais de meio século. Ela até gostava da paisagem, de algumas vizinhas, do cachorro, do pomar que lhe garantia guarida. Filhos não vingaram, sorte deles. Não esperou o reassentamento, desatou-se do lugar. Na cidade ao lado não perde a notícia sobre a contagem dos cadáveres, o marido há de ser um deles. A fé está em Nossa Senhora e nos bombeiros que rastejam em dupla na lama, por pedaços de vida. No mais, a Bolsa de Valores segue indiferente.

| *cesta no cesto*

Ela avisou – seu irmão está embaixo da roda do carro, na rua comprida ao lado da escola –, poucos acreditaram, era mais uma da velha. O telefone preto sobre a mesinha tocou: o jovem foi levado para a Santa Casa, passava por exames. Ela avisou – o prédio na esquina da praça vai desmoronar –, poucos acreditaram, era mais uma da velha. O corpo de bombeiros foi rápido, a tragédia apequenou-se, dezena de mortos. Ela avisou – o helicóptero vai cair –, poucos acreditaram, era mais uma da velha. O piloto morreu em chamas sobre a rodovia. Ela avisou – o homem é perigoso –, poucos acreditaram, era mais uma da velha. O vizinho encontrou: o corpo da mulher separado da cabeça sobre a cadeira no alpendre. Ela avisou – eleição presidencial é coisa séria –, poucos acreditaram. Mais uma da velha.

| *cinco-marias*

Da janela do meu quarto acompanho o trabalho dela na grande avenida. Deleitosa. Disse que nasceu por incompetência da mãe pra abortar. Parida nos primeiros dias de maio, foi deixada pra trás; alguns lhe deram abrigo, poucos, carinho. A primeira menstruação a colocou no mundo, menina-moça. A madrinha, tipo avó, a jogou na vida, moça-menina, desejada, comprada, violada – uma, dez, vinte, tantas vezes –, ganhou a profissão. Espero ansioso. Às segundas-feiras, no horário da novela, atravesso a rua e ela é minha por trinta minutos inteiros. Tempo dos atores passearem com a minha esposa pra outros mundos.

| *coelho sai da toca*

O neto encontra o copo americano entornado ao lado da avó estirada no chão da cozinha, manchas vermelhas se mostram sob a cabeça da velha iluminada pela luz tênue do corredor. O adolescente se estarrece. Covarde para mexer na matriarca, se silencia no quarto – espera a irmã mais nova sair do banho –, chora o acontecido. Acionam a mãe, que, a distância, instrui os cuidados enquanto se desloca para casa. A caçula pega para si a responsabilidade de cumprir a orientação materna, observa a avó presa no corpo: seus dedos entrecruzados sobre a barriga denunciam que ali há vida, as mãos se movimentam lentamente em sincronia com uma respiração frouxa. A menina agacha ao lado da avó, chama baixinho pelo nome, toca o corpo com cuidado. O irmão observa. A mãe chega afobada acompanhada pelo vizinho-socorrista, acende a luz da cozinha; batidas palmas com força, sucesso. A velha se senta de pronto. O avô salta do esconderijo detrás da porta e ovaciona a amada:

– Bravo! Bravíssimo!

Sozinha, tento a televisão. Insuportável, desligo. Pós-plantão no tempo de Covid-19, carrego os mortos do dia para minha casa. Suplico. Silêncio frouxo. Não arredam pé. Preciso embrutecer para encontrar a paz? Tento. Não consigo. Eles insistem por companhia. Desisto. Deito. Puxo a coberta até a cabeça. Saboreio o sono dos descrentes.

| *corrida com obstáculos*

Ouve o concreto trincar. Nuvem de poeira cobre vivos, mortos, a rua inteira. O capital trouxe abaixo sonhos, o homem executou a ordem. Ouve a natureza gritar. Motosserras encerram vidas, a floresta grita para surdos. O capital trouxe abaixo sonhos, o homem executou a ordem. Ouve a lama rolar vidas. Estrondo surdo como trovão rasga a barragem de minério. O capital trouxe abaixo sonhos, o homem executou a ordem. Ouve o lamento dos bichos não humanos, da terra encharcada pelo agrotóxico. O capital trouxe abaixo sonhos, o homem executou a ordem. Não ouvirá mais – chega de maternagem –, Gaia seguirá sem o homem.

Para ele, maltratar árvores não tinha discussão; em segundos transformava tristeza em impaciência. A raiva não demorava muito, mas não podia ser interrompida. Em 1969, consequência do AI-5, guardou por algum tempo duas colegas na casa dele, até as coisas esfriarem. Era um lugar acima de qualquer suspeita. Retribuímos cuidando das suas árvores: mexerica, cereja-das-antilhas, goiaba, limão – galego e taiti –, carambola, laranja-lima. Sabia bem o que tinha feito. Nunca me deixou agradecer.

Com a aposentadoria, intensificou o cuidado que tinha com a natureza. Investiu nos grupos escolares. Duas mudas de árvores frutíferas para cada criança; uma era para levar para casa e plantar com a família, a outra eles plantavam juntos na escola ou nos parques da cidade. Professoras estimulavam o projeto. A missão era acompanhar o crescimento das árvores, fotografando, desenhando, escrevendo redação sobre cada etapa. Sempre acreditou nas crianças. Virou notícia quando resolveu impedir que uma figueira centenária fosse cortada pela prefeitura para dar lugar a um estádio. Não se conformou. Mobilizou grupos. Argumentou. Foi para imprensa. Nada. O prefeito não arredava. O representante da prefeitura o chamou e disse:

– Cara, não cria problema. É só uma árvore. A gente corta, planta outras e em dez anos você terá um parque com um monte de árvores centenárias.

Aquilo era demais para ele, burrice tinha limite. Acorrentou-se à árvore por três dias inteiros. As crianças a quem ele ensinou cuidar das árvores se revezavam com os pais para cuidar dele: água, comida, até penico com direito à cortininha estava garantido. Colchão com travesseiro. Mosquiteiro.

A história só acabou quando o prefeito desistiu. A imprensa havia noticiado com veemência o acontecimento, a conversa já estava no gabinete do governador do Estado. Tinha virado coisa séria. Na sua última primavera, conseguiu centenas de balões de ar. Em mutirão nas escolas, colocamos sementes de diferentes plantas dentro de cada um. No domingo, dia da Festa do Verde, fomos para o parque com cilindros de gás hélio, enchemos os balões e, ao sinal das professoras, as crianças os soltaram.

– Se uma dezena pegar, está ótimo. O que vale é movimentar as crianças – argumentava aos céticos. Esperançava de que ao estourarem espalhariam as sementes em vários lugares e algumas germinariam.

A minha filha tinha cinco anos na época. Hoje ela conta essa história para os alunos dela.

| *corrida de saco*

Dizem que envelhecer não dói – mentira, machuca por dentro, arrebata a estima. O primeiro "tia" não esqueço; depois veio o "dona", o "senhora", o "velha", o "está conservada", o julgamento entredentes sobre as roupas que uso – não abro mão das cores que berram aos olhos. Tem gente que culpa a sociedade, outros, a educação, e também há quem fale da cultura. Até inventaram um nome – "velhismo" – para esse negócio de aporrinhar velhos, principalmente nós, as velhas. Discordo das explicações. A culpa é do tempo, essa coisa desagradável que marca a vida. Não me dou bem com ele desde que atingi a maioridade. Irrequieto, não para e me obriga a correr. Aliado ao espelho, avisa que vou desaparecer; o primeiro marca o meu corpo, o outro escancara a degeneração – só se escapa com a morte. Resisto abusando dos avanços dos bisturis e da indústria da beleza, não economizo a aposentadoria. Minha mãe ficou com a morte, o retrato dela parou aos 39 anos. No rádio o locutor anunciava que a Apollo 11 tinha chegado à Lua.

| *corrida do ovo*

Onde carros congestionam vias na grande avenida oferecem pequenos deleites aos motoristas presos no trânsito. Um time especializado na arte da venda se espalha no trajeto. Atletas de asfalto são os primeiros à vista; distribuem nos espelhos laterais dos carros saquinhos plásticos exibindo balas, chicletes. Depois recolhem reais ou o produto recusado. Sob o grande semáforo, bailarinos, malabares, palhaços oferecem movimento aos olhos de quem aguarda o verde na esperança de seguir mais alguns metros. Outros desfilam entre os carros com mercadoria pendurada nos ombros; vendem o que dá para carregar: água, pipoca doce, salgadinho, chocolate derretido, pano de chão, saco alvejado, parafernálias eletrônicas, cabos USB, brinquedos, balões, bandeiras de times, cofrinhos de cerâmica em forma de porco. Logo adiante, o amendoim fisga o meu olhar, abro o vidro, os trinta graus marcados no relógio de rua entram sem cerimônia no meu carro, a velha do lado de fora se apressa, troca o petisco por três moedas que eu deposito na sua mão direita espalmada, seus dedos combinam com a casca dos amendoins. O asfalto, implacável, sustenta os diferentes humanos. Impressionante sincronia.

| dança das cadeiras

No metrô, mesmo quando tem lugar Maria não senta, frustrando gentilezas. Não está sozinha, outros velhos e velhas enfrentam o transporte coletivo sobre trilhos, cabelos de todo tipo e cores, carecas bem cuidadas, tatuagens com pigmentos e as naturais bordadas pela vida; óculos, ornamentos permanentes; discretos aparelhos para surdez. Maria testa o equilíbrio, vez ou outra encosta os dedos da mão esquerda na barra de apoio, observa o corpo refletido no vidro da porta que tem à frente, sorri para si, o cabelo branco trançado, o vestido vermelho, o corpo bronzeado denunciam a sua presença. Mais uma estação, as portas do trem se abrem, alguns entram, muitos saem, corpos conseguem se movimentar sem esbarrões; agora há espaço. Bancos preferenciais vagam. Uma jovem pede licença, Maria se afasta um pouco para que ela acesse o banco, na bolsa-canguru amarrada no seu corpo a criança dorme confiante, as olheiras da jovem denunciam as peripécias dessa convivência. Ao seu lado senta uma velha-sorriso, sua saia florida puída e a camiseta maior do que o corpo franzino dizem que a roupa teve outros donos. Portas fechadas, Maria não abandona o lugar que escolheu, levanta e abaixa os dedos expostos na sandália brilhante, sem mover os calcanhares; nas mãos, veias saltadas e tortuosas se exibem sob a pele fina. Do outro lado do corredor, a moça com uma rosa vermelha tatuada no braço esquerdo se levanta do banco preferencial e entusiasma o velho com pinta de roqueiro a sentar. Ele recusa, ela insiste, o homem cede à teimosia da garota e senta, ela com cara de missão cumprida agarra a barra de apoio. Ele sorri para Maria, ela agradece no mesmo código. Outra estação, os bancos perpendiculares ao do roqueiro vagam, ele pula para um deles, coloca a mão sobre o outro e bate duas vezes com as pontas dos dedos sobre o assento sinalizando para que Maria se sente. Ela agradece, sem abandonar o lugar que ocupa, olha para os tornozelos e as mãos dele, depois para as dela. Tão parecidas. O tempo atravessa o corpo, transforma e grafa na pele o envelhecimento. Quem envelhece nem percebe: velho é o outro.

| *desafio*

Leitura de perdição gera incômodo, precisa de treino. Para quem não tem o hábito, ler é dolorido; o corpo começa a doer de cima para baixo, primeiro os olhos, a cabeça, quando a dor atinge os ombros outros músculos reclamam. Se você não insistir, desiste, pega folheto de anúncio ou se encharca nas redes sociais e nem percebe que foi vencido. Se vai adiante, vicia. Quando a leitura funciona, atinge um ponto bem embaixo do osso esterno – o termômetro do mal-estar. Lá a dor é de pontada, quando bate eriça o cérebro. Eu gozo.

Sentada no banquinho, a mulher esparrama o feijão sobre a mesa e com prática separa os grãos ruins dos demais. O filho se aprochega dela com o recém-chegado nos braços, a nora descansa da cesárea forçada. O filho insiste, pede mais uma vez que a mãe conte quem é o seu pai. Conversinha pra lá de cansativa, no começo a mãe ignora, depois a teimosia do outro a leva à ladainha:

– Causador espermático. Gerador semental. Obrador por gosto. Procriador por vício. Semeador de gente sozinha. Pai? Nunca foi. Só genitor.

Ele tenta de novo, pede por favor. Ela garante que não vale a busca, que se dependesse do canalha ele não teria nascido.

– Eu lutei, eu lutei, eu lutei, lutei, lutei, lutei, e era só uma garota.

Ele, com olhos marejados, beija a cabeça da mãe, coloca o neto no colo dela, implora:

– Mãe, então ajuda, me ensina a ser pai.

| *dois ou um*

Aborto ou gravidez? Escolha. Arma ou segurança? Sobreviva. Ateu ou crente? Entenda. Azul ou rosa? Misture. Canabidiol ou nicotina? Estude. Crespo ou liso? Embeleze. Direita ou esquerda? Decida. Juventude ou velhice? Aproxime. Sujeito ou predicado? Verbo, irregular, no tempo presente: Agatha e Carolina e Dorothy e Dulce e Fernanda e Maria da Penha e Marielle e Margarida e Nise e Olga e Pagu e Zuzu, e... quem na roda cirandar.

| *empinar pipa*

Saiu de casa decidida, haveria de dar a sua vez para alguma companheira mais corajosa – não iria para o céu daquele jeito. Na sede do Projeto Social, outras como ela ziguezaguearam a noite toda, sofreram pela imaginação. Entre elas só a coordenadora era viajada dentro do país e por terras além-mar. Essa pescou no ar o desespero das parceiras e invencionou um ato de amorosidade; no amplo salão montou quatro filas com cinco cadeiras brancas de plástico em cada uma, duas filas para a esquerda e duas para a direita, no meio um corredor. Grudou nos encostos números seguidos por letras, como nas companhias aéreas. Na caixa do artesanato buscou fitas largas, cortou seis pedaços com dois metros mais ou menos, prendeu o meio de cada uma no assento das cadeiras. Improvisou uma boina com feltro vermelho, escreveu no papel-cartão com letra muito bem desenhada a palavra "aeromoça", depois prendeu com grampo na frente da boina. Entregou para cada uma das seis mulheres um cartão-passagem com o número do assento. Tudo organizado, hora de receber as passageiras. Elas entraram na brincadeira, subiram no avião, localizaram os assentos; as que ficaram na janelinha vibraram. A aeromoça deu boas-vindas, pediu que, por medidas de segurança, acomodassem as bagagens de mão nos compartimentos acima dos seus assentos ou abaixo da poltrona à sua frente. Em seguida, demonstrou o uso do equipamento de emergência, falou de máscaras individuais que caem automaticamente dos painéis acima das poltronas em caso de despressurização, como colocá-las, blá-blá-blá. Mostrou que a aeronave possui seis saídas de emergência. Solicitou que afivelassem os cintos-fitas e mantivessem os encostos das poltronas em posição vertical. A emoção cresceu quando ela disse que iriam decolar:

– Fechem os olhos, agora o avião vai dar uma acelerada, correr muito na pista para pegar impulso, aí vai levantar o bico pro alto (estão sentindo?, olha que bacana, se estiver com medo pega na mão da colega, aproveita a sensação, agora o avião vai voltar na posição reta, estamos voando, aproveita a vista, olha que lindo lá embaixo, tudo pequenino, a gente está no céu, curtam o momento).

Teve gritinho nervoso, risada gostosa, abraços, no final uma salva de palmas e muitos abraços, muitos mesmo – eta gente que gosta de abraçar! A aeromoça conseguiu, nenhuma baixa. Gostaram da brincadeira, estavam prontas para a realidade.

No dia da viagem de verdade, as seis companheiras entraram confiantes na máquina que voa, experientes trocavam piscadelas a cada ritual cantado pela aeromoça. Tudo o que a amiga falou aconteceu na mesma ordem, incrível, mas quando o bicho de asa desembestou na pista, levantou o bico, a sensação foi intensa, as cadeiras não corriam daquele jeito, teve quem mordeu os lábios, quem rogou ao Nosso Senhor, Virgem Maria, grudasse na mão da colega. Uma delas diz que o coração bateu nas costas, podia senti-lo na poltrona enquanto aquilo subia, subia, subia. Quando se arrumou reto no céu ela avistou a cidade pequena, o coração voltou para o peito, na cabeça uma sensação estranha. Pegou a caderneta na bolsa, a caneta no estojo e começou a escrever poesia, nunca tinha feito uma antes. Os versos brotavam e ela registrava no papel. A pressão estourou sua veia poética – nunca mais parou de poetar.

Toda noite, por mais de uma década, ele sentava à beira da cama da filha e rezava: invencionice para manter presente a mãe da criança que tinha virado anjo. A menina cresceu, adolesceu no ritual, aprendeu a conversar com seus mortos. A reza foi o avô que escreveu quando a avó também se tornou anjo. O pai tomou a poética para si, só inventou a parte de que a filha mais gosta:

– Que seus anjos da guarda te protejam e te iluminem; que inspirem todos os homens e mulheres de boa vontade que possam diminuir o sofrimento da humanidade.

Ela levou a sério a oração, tornou-se mulher. Seus anjos aumentaram em número, o pai foi o último a alçar voo, e ela aguarda a vez ensinando a reza para outras gerações.

| *escolinha*

Numa época em que mulher não precisava ser dada aos estudos, ela se formou professora, seguiu os passos da mãe. Outras prendas também tinha, mas nada igual aos saraus que organizava na casa da família. Lia com gosto suas histórias e de outras que adentravam o mundo das letras. Viagens, poucas; os livros garantiam distantes mundos. O presente de formatura, um pacote de turismo para as cidades históricas de Minas Gerais, lhe rendeu um namorico com o guia, moço bonito, bilíngue, viajado. Tempo depois, o do enxoval bordado por ela e pela mãe ficar pronto, casaram. Nem o nascimento do filho a impediu de trabalhar, professorou por muitos anos. Quando fez cinquenta anos se deu de presente um fusquinha, vermelho com capota preta, sonho adolescente realizado na maturidade. O marido, que nem tão bonito era mais, tomou para si a decisão de ensiná-la a dirigir. Duas semanas intensas.

– Põe o pé nesta merda, tira o pé desta merda, breca esta merda, que merda – dizia o professor, implacável.

Na segunda-feira da terceira semana ela vendeu o carro, não aguentava o cheiro no pé.

O sol desentedia a vida no condomínio. A vizinha do viúvo discorda; prefere a boca da noite, momento único que se mostra no quintal da casa, sozinha – nem o gato demora naquele lugar. Samambaias de plástico penduradas na varanda imitam a existência da desbotada mulher. O viúvo produz movimento; aprecia música, casa aberta, ar brandindo o sino dos ventos pendurado no corredor entre os quartos e a sala. A farra dos filhos e netos aos domingos preenche o velho. Ele não se faz só, sai com amigos, conversa com as plantas que cultiva, faz confidências à cachorra – melhor companhia desde a morte da esposa. A vizinha observa a vida do outro, protegida pela cortina que enfeita o janelão de sua sala de estar. Espera o ritual da noite.

– Amor da minha vida, vem com o papai, coisa gostosa, vem cá, se aprochega, fica aqui pertinho, no sofá – o velho chama a amiga de quatro patas no quintal.

A mulher se posta, acaricia os cabelos com os dedos da mão direita, com os da esquerda dedilha os mamilos; vai e volta, vai e volta, vai e volta. Evita as partes baixas, aprendeu no catecismo que é pecado. Mas seu corpo não respeita o dogma e entrega-se ao gozo, contorce, a vagina encharca, desfruta, o corpo sua, uiva gostoso. O vizinho assiste ao *Jornal Nacional*, a cachorra dorme tranquila no sofá enrolada na mantinha vermelha.

| *escorregador*

Decidida a dar um jeito na vida, a velha miúda deixa a vergonha em casa e vai em busca de trabalho; cansou das negativas aos currículos dos seus. Tem experiência na labuta há tempo – já fez muito. A carteira de trabalho dela faz companhia à dos filhos na gaveta da cômoda ainda das Casas Bahia. Trançou bonito os cabelos, caprichou na vestimenta, confiante, vai às lojas, restaurantes, portaria de prédios; aceita qualquer empreitada, mas a idade só lhe garante gentis negativas. Na chique avenida, a velha mira a mulher com uma cruz brilhante na ponta da correntinha enfeitando o vestido colorido. Sorri-grande para ela, e a mulher sorri-compaixão, então ela aproveita:

– Dona! Bota eu pra trabalhar na sua casa? Eu faço de tudo.

A mulher sorri-pequeno, diz que não pode. A velha percebe:

– A dona tá também precisada, não é?

A outra, acabrunhada, acena que sim com os olhos. A velha é atinada:

– Não adianta me botar na sua casa e não ter como me pagar.

A mulher, que não está acostumada aos perrengues da vida, confidencia à velha que também está desempregada, mas que o país vai melhorar com a reforma da previdência e a trabalhista projetadas pelo governo, a agonia é passageira. A velha, mais sábia do que velha, sorri-descrença.

| *escravos de jó*

Em três quadras: cinco templos, cinco deuses, nenhuma deusa. Fiéis em obsessiva disputa por mais devotos invadem as ruas nas manhãs de domingo. Alguns de terno, outras com longos cabelos presos; tem aqueles que gritam para louvar o deus com problema auditivo, uns mais silenciosos distribuem revistas, outros cobram o dízimo. Andam em duplas para içar descrentes à sua fé. Abordam todos que encontram, tocam a campainha das casas, menos a da velha, na esquina – ela não louva-a-deus, prefere gafanhotos.

| *está quente, está frio*

No pátio da delegacia, duas investigadoras conduzem o velho encontrado nadando nu na fonte da Praça da Matriz. Ele não esconde o rosto, descontrai o peito, sorri para o grupo de beatas que acompanhou a viatura aos gritos de "Velho, tarado!". Na presença da delegada ele não hesita, vai logo perguntando:

– A senhora tem ideia de com quem está falando?

A delegada não move um músculo do rosto, ouve o relato das investigadoras, com a mão direita indica a cadeira à frente. Ele agradece, alisa as sobrancelhas grisalhas bem aparadas, senta. Balança as pernas, bate com os saltos da sandália no assoalho de madeira primeiro os dois pés juntos, depois os intercalando. A delegada o encara por segundos, coloca a mão esquerda no queixo, o esquadrinha com os olhos. Ele bate com as mãos no vaso com flores amarelas, por pouco não cai sobre os papéis. A policial que o acompanha o repreende, com o indicador sinaliza que mantenha o corpo encostado na cadeira. Ele obedece, mas clama fitando a delegada:

– Já sabe com quem está falando?

A delegada, com os braços cruzados, pergunta se ele quer um advogado. Ele se desespera, chora, pergunta:

– Já sabe com quem está falando? – Mostra a pulseira com dados de identificação, suplica: – Por favor, descubra.

Amigas para sempre – promessa de adolescente –, agora, maduras, trocam mensagens no celular, fotos dos netos. A distância das casas dentro da metrópole e o empenho com a vida atrapalham a boniteza da amizade corpo a corpo. Ontem, finalmente conseguiram agendar um chá da tarde, com direito às guloseimas que têm gosto de infância. Encontro marcado no ponto do ônibus bem perto da cafeteria predileta. O passeio começa pelo abraço, aquele que enraíza amizade, abraço verdadeiro, no qual os braços se entrelaçam completamente, o peito de uma encontra o peito da outra, calor dos bons, as cabeças se acomodam nos ombros que se encostam, os corpos pulsam. O entorno não interessa para elas. Aproveitam o momento.

O Land Rover rosa, mal-governado pela motorista bêbada, atinge as duas com precisão – morte abraçada. O velho que caminhava ao lado salta à sarjeta com passo de bailarino russo, a bengala virou resto. Que sina! Amigas para a Eternidade.

| *faz de conta*

Sirene de ambulância. No corredor mascarados se misturam; uns aguardam cuidados sobre macas e cadeiras, outros andam rápido contra a pandemia. Som das rodas das macas sobre o chão, de pinças sobre bandejas de inox. Vozes altas. Um enfermeiro coloca alguma coisa no meu soro, pega no meu pulso, não diz uma palavra. Vai embora. Chega uma funcionária com uniforme azul, cola adesivo vermelho na minha maca. Não entendo o que fala. Vai embora. Ouço longe, não consigo me mover. Suo frio. Choque no peito. Correria. Medicação. Mais choque. Brilho. Luzes miúdas por toda parte. Volto. Amarrada? Tubo grosso na garganta. Boca seca. O lugar cheira a limpeza e sangue. De novo, passeio de maca. Tudo é teto. Quem empurra só tem o trajeto, não me distingue. Histórias anuladas neste lugar: a minha e a dos que me conduzem. UTI. Soro. Mais tubos. Privacidade? Acabou. Estou presa em mim mesma. Não consigo falar. Penso. Sinto. Sinto muito.

| *forca*

Quando certa manhã despertou, depois de um sono muito tranquilo, a maldade vestida de mulher achou-se em sua cama convertida na monstruosa síndica do velho prédio povoado por gentes, que às vezes se olham no alquebrado elevador. Teve uma vontade calculada: se livrar dos velhos trabalhadores. Um a um despediu todos. Corroída demais, nem o diabo quis a alma dela, usufruiu solitária a fraqueza do pequeno poder. Engordou deles, cada corpo devorado conquistava quilos – um corpo, muitos quilos –, impressionante matemática. Ontem a barriga dela torceu diferente, derrubou o corpanzil no chão do banheiro, o marido tentou resgate, não deu, morreu enforcada pela alça intestinal. A Vigilância Sanitária interditou o imóvel por tempo indeterminado.

| *forte apache*

Sobrevivi ao tubo na traqueia, de volta à realidade dos vivos, assisto impotente ao triunfo do vírus. Matou gentes que me fazem falta. Não tenho raiva, tampouco medo; tenho inveja da sua astúcia de anti-herói. Microscópico, desnuda-se apenas a cientistas; aos outros penetra em surdina, cumpre a missão de minimizar o humano na escala evolutiva.

Quem me ajuda mesmo é o Bartolomeu, não sai do meu lado. Se sente perigo, late sem parar, cuida de mim e do mocó, e eu cuido dele; comida não falta, nem a vacina contra a raiva, todo ano toma na campanha. Até o povo da sopa gosta dele; numa das turmas da quarta-feira tem um rapazinho que traz osso: é uma festa. Nas terças-feiras, a visita é melhor do que os comes – bolacha e fruta –, um único grupo só com jovens, eles chegam por volta das sete e às nove horas vão embora. Trazem o violão e deixam a nossa gente tocar, aliás, é o que salva. Na turma tem uma moça muito bacana, espero ela chegar. Uma perguntadora incansável, dá oi para todo mundo, aí senta na guia para conversar comigo, ela diz que eu lembro a sua avó. A gente só não fala sobre a vida dela – é melhor assim. Tem uma mulher que vem com um dos grupos da sexta-feira – uma dona bem aprumada –, ela não distribui a sopa, está escalada para conversar. Tenta parecer bondosa, mas é meio bocó, insiste para eu mudar de vida, falo que eu bem que queria, mas não vou largar o Bartolomeu, e com ele é difícil encontrar lugar até para dormida. Ela não entende, acha que ele é só um cachorro, não sabe nada sobre amizade na rua, mas a comida da sexta é boa, vale a amolação. Sei que morro um pouco todo dia, mas me cuido: o Bartolomeu precisa de mim. Para o povo que traz sopa, finjo que está tudo bem: carecem da caridade para viver.

Homem só fica macho de dar pancada quando está sozinho com a mulher dentro de casa; conheço bem, muito tempo levando coça – do pai, do irmão, do dono –, calada. Eu e a vizinhança. Meu pai me perdeu na mesa de aposta. No dia seguinte ao jogo, me arrastou para a casa do velho, me deu de papel passado:

– Dívida feita, dívida paga.

Recado dado. O velhote não deu folga. Todo dia chegava da oficina e incomodava minhas partes: xoxota molhada, me chamava de puta, e batia, batia, batia; seca, ele bulia nela com os dedos, depois me usava como tinha vontade. Não sei o que odiava mais, se a surra ou o dedo enrugado. Sossego só na menstruação. Boletim de ocorrência eu fiz um – ideia da médica do posto. Piorou, o velho conhecia gente na DP. Num domingo, enfeitei um bolinho para gastar a hora. Quando ele viu me jogou sobre a mesa, prensou o bolo nas minhas coxas, me estuprou de todo jeito. Fiquei cega por fora, os olhos entraram no tempo – o meu bolo de dez anos teve a mesma sina, eu também. Voltei com o tabefe do velho, que satisfeito foi assistir televisão. Liguei para a minha irmã – o resto do que foi uma família – e reclamei da sorte. Ela ladainhou que era casada, que tinha filha para criar, que morava de favor na casa da sogra, que mulher nasceu para servir, que eu tinha de agradecer por ter um homem, que ia rezar para eu criar juízo, que era para eu ser forte, que não podia ficar comigo. Blá-blá-blá. Não soltei choro, tomei banho, coloquei roupa de sair, chumbinho no ensopado, peguei a sacola e sumi.

| *90*

Ulisses tapou os ouvidos com cera, se fez amarrar ao mastro do navio para se defender das sereias. Mundos depois, a jovem, educada à escuta, entrega-se ao mar sem tampões e amarras, se faz sereia, desencerra a própria vida.

Desandou a vida, mexeu o pensamento da esquerda para a direita.
Ensinou que quem deve a deus paga ao diabo, distribuiu o carnê para o dízimo.
Sedou a dor da mãe, usou o travesseiro sem alvoroço.
Salvou a menina da fome, criou como se fosse da família.
Experimentou o mesmo preservativo feminino com cinco varões, desgraçou todos.
Garantiu amor para sempre, trocou o companheiro quando o sempre acabou.
Rezou para deus iluminar os governantes, errou no deus e nos governantes.
Espalhou o amor ao próximo, exterminou os concorrentes.
Desafiou o poder dos homens, aprendeu luta livre.
Ouviu o galo cantar três vezes, calou o bicho com tiro certeiro.
Saiu para jantar, determinada: faz a vida para si própria.

| *jenga*

A desilusão me consome. Minha amiga embruteceu e publicou a bruteza nas redes sociais. Achei que era vírus, *fake news*, depois pensei em quadro demencial. Sugeri neurologista. Recusou. Defendeu tudo o que escreveu. Louvada seja a pandemia, exige o isolamento físico; para o virtual, o coronavírus é inócuo, o livre-arbítrio é meu. Ela insiste no celular, ignoro. Manda emoji de coração, silencio, volto ao trabalho. Minutos depois metralha minhas redes sociais com montes de bonequinhos sorrindo, amando, piscando, beijando, flores sozinhas ou em ramalhetes, seguidos por blá-blá-blá. Com o dedo indicador extirpo quarenta anos de coexistência. Deleto, logo existo. Tenho fé em Darwin; o vírus cumprirá o seu papel. Na gaveta das pendências na escrivaninha da sala, deixo minha carta-testamento bem escrita em letra cursiva.

| *joão bobo*

Passeio fora de casa não cabia no orçamento apertado da professora. Nos momentos de folga, reunia os filhos e alguns agregados para invencionices deliciosas. Tinha dia que a brincadeira era a do pé com pano – os pés direitos recebiam meias, os outros pelados eram o pé sem pano. Ao som marcado no pandeiro de plástico, as crianças caminhavam, pulavam, corriam: o pé esquerdo dava o ritmo. Farra gostosa, ruidosa. Noutros o teatro era o ponto forte; ela ensinava a história, distribuía as personagens, ajudava cada criança a fazer a fantasia, depois encenar no alpendre da casa com direito a pipoca e aplausos de poucos vizinhos. Tinha dia para mímica. Nesses, ela se mostrava mais calada, às vezes um pouco de tristeza assolava seu rosto rechonchudo, mas nunca desistiu de nenhuma criança. Eu era uma das agregadas, ela, a minha tia postiça querida. Hoje, enclausurada, com medo do coronavírus, coloco a meia num pé, sozinha marcho na sacada do meu apartamento ao ritmo de um panelaço com tantos outros retidos nos seus espaços. Ela sucumbiu à epidemia de meningite no início dos anos 1970, quando militares garantiam: "A doença está controlada". As panelas também.

| *jogo da trilha*

O cheiro de amônia denuncia a carência de banheiro público. Chego ao ponto zero de São Paulo, Praça da Sé. De tanto visitar, perdi o medo das pessoas, componho o cenário com outros zés-ninguéns. Na parte baixa da praça, pessoas em situação de rua aguardam a vida. Um pouco mais ao centro, forma-se uma roda, dando espaço para o pregador da Palavra. Ele grita, gesticula, bate forte com a mão direita no livro que segura com a esquerda. Seu ajudante passa uma sacola de pano recolhendo oferendas. O pregador ameaça:

– Deus está olhando quem não é misericordioso.

O velho bêbado grita:

– Bando de babacas!

Sob as palmeiras imperiais, barracas vendem comidas, famintos reviram os lixos, nada se perde, a fome transforma. Velhos distribuem papéis. Compra-se ouro. A guarda circula. Na escadaria da igreja pessoas descansam. Ternos e tailleurs andam ligeiro na direção da Praça João Mendes. Eu sigo o movimento para a Liberdade – a praça –, antigo Paço da Forca. Cumprimento a velha sentada sob a marquise da agência bancária desativada. Ela chama. Avisa que não quer dinheiro, quer um favor, me dá uma vela e pede que eu a acenda na Capela dos Enforcados. Fez promessa, a primeira pessoa que olhasse para ela deveria acender a vela. Insiste, eu acato. Caminhamos até a Capela. Ela não entra, confia. Acendo a vela. Na saída, limpa a mão direita na saia surrada. Antes de tocar na minha, olha mais uma vez para conferir se a sua está limpa. Aperto entre mãos. Rápido.

Fotografia trêmula

O chega de [illegible] de [illegible] atrás da ba[illegible] [illegible]. Chegou [illegible] zero de São Paulo [illegible] a visitar Teresina, o meio das pessoas [illegible] outras vezes a fugindo de parte baixa da rua, pessoas, a situação de rua aumentando a vida [illegible] mais, no centro, forma-se um [illegible] espaço para o prevenido [illegible] [illegible], cada vez como quem [illegible] que segue [illegible] esquecido de se [illegible] passa uma sacola de pano recolhendo oferendas. O [illegible] apresenta.

– Dona esta [illegible] Deus não é um ser [illegible].

O velho [illegible].

– [illegible] (desatento)

[illegible] [illegible] vendem [illegible] os [illegible] [illegible] de [illegible] papéis. Com[illegible]. Na escadaria da igreja [illegible] entre [illegible] no [illegible] Mendes. Em [illegible] o movimento para a [illegible] — a praça — [illegible] Cruz. Com [illegible] a velha sentada com a mão [illegible] desolada. Ela [illegible] [illegible] [illegible] [illegible] pessoas que [illegible] [illegible]. Caminhando [illegible] a Capela [illegible] não entra, con[illegible] [illegible] salta [illegible] grande [illegible]. Antes de [illegible], olha [illegible] [illegible] aberta entre ambos [illegible].

| *jogo da velha*

No rádio, a moça do tempo anuncia o verão mais quente dos últimos vinte anos. São Pedro – porteiro dos céus – não descansa; pedidos por chuva abarrotam seus altares. Céticos, culpam governos pelo desmazelo com o meio ambiente. A verdade é que o calor está de rachar mamona na cidadezinha onde nasci, e de tempos em tempos retorno para visitar parentes. Tem barbado brigando por cerveja gelada, a criançada na lagoa parece manada de hipopótamo, só cabeças à mostra. Na bica da Matriz o pároco mandou instalar bancos de madeira, os fiéis esperam sentados na fila que dá direito a encher dois galões de água por pessoa. Na casa da minha tia-avó, um primo escala o telhado com a mangueira de água presa entre os dentes; embaixo, o outro ajeita a velha na poltrona branca de plástico, abre o guarda-chuva que ela segura como troféu. O terceiro primo abre a torneira. O do telhado aponta o esguicho para a velha, que se diverte, olha pra cima e enfrenta São Pedro:

– Homem frouxo, cê pode ter a chave do firmamento, mas na minha casa quem manda chover sou eu.

| *jogo de damas*

No cruzamento da Avenida São João com a Ipiranga, a mulher desce do carro do cliente e caminha pela sarjeta ao encontro da colega de profissão. O playboy acelera o Chevrolet Opala vermelho, mira nas duas, elas saltam para a calçada, os pneus denunciam no chão a brecada. Ele abaixa o vidro do carro, grita certeiro para elas:

– Filhas da puta!

A mais jovem ajeita a peruca *à la* Marilyn Monroe, se recompõe. A outra soletra desafinada:

– Ca-va-lhei-ro-te, o senhor é um boçal.

O motorista bota a cabeça pra fora, grita com estúpido gosto:

– Vão pra casa, meio século.

No entorno o escasso público ignora o espetáculo. As mulheres conversam com os olhos, têm prática. Sacam dos pés as sandálias e com o salto plataforma de madeira estraçalham o capô do possante, que arranca cantando pneus. Filha da puta, tudo bem, gostavam das damas; "meio século" foi demais.

| *jogo de queimada*

Ela. Bailarina. Eles. Soldados. Ela. Boneca. Eles. Armas. Eu ausente. Ela, menina; eles, varonis. Ela, escola; eles, quartéis. Eu ausente. Ela filha, eles pais. Ela dor, eles silêncios. Eu ausente. Ela livre, eles obediência, ela morta, eles heróis. Eu ausente. Ela cadáver eles mortalhas ela sapatilha eles coturnos. Eu assisto. Ela memória eles marcham ela neta eles facção. Eu janto. Ela passagem eles muros ela amada eles subordinados. Eu compartilho. Ela sonho eles estatísticas ela substância eles vazios eu durmo.

| *jogo dos sete erros*

Contração Choro Alívio
Vida-Nascendo
Leite Colo Fralda Sono Vacina
Vida-Cuidando
Balbucia Rola Senta Engatinha Brinca Caminha
Vida-Pulsando
Creche Parquinho Bolo Amigas Gibi Família
Vida-Sendo
Quintal Bala Sangue Menina Ambulância Emergência
Vida-Estremecendo
Médico anuncia Enfermeira conforta Mãe silêncio
Pai chora Dor eterna
Vida-Despovoada
Na TV trinta segundos do horário nobre
Vida segue. Vazia.

Inconformada com a transferência do padre que por três décadas capitaneou as ovelhas daquele rebanho, recebeu a contragosto o pároco novo. O substituto não tinha feição de padre – moço, formoso, estudado no estrangeiro e ainda por cima motoqueiro. Duvidou e atiçou outros para ajudar na aporrinhação contra o recém-chegado. Escreveu para a diocese para certificar se aquele homem era padre de verdade. A resposta veio por telefone, o vigário-geral ordenou que ela parasse com o disque-disque e de penitência rezasse cem ave-marias e cem pai-nossos. Rezou, mas não engoliu o sapo; deixou o bicho repousando na garganta atrás da língua afiada.

O moço mudou regras na igreja, abriu o salão paroquial para todos, começou a ensinar violão para os jovens; a guitarra – instrumento do demo – veio logo em seguida. Depois inventou a tal de Roda de História, em que se conversava sobre coisas da comunidade. O diabo era que vinha gente de todo canto, até aqueles que não eram dados a deus.

– Heresia, isso sim, heresia – ela bradava entre os dela. Não tinha ousadia para encarar o padreco.

Anunciava que a única história, a verdadeira, estava no livro sagrado, aquele que nunca leu – muita letrinha e nenhum desenho. O padre não cessava as invencionices: clube de leitura, alfabetização de adultos e idosos, teatro, baile... tudo na casa paroquial. A igreja encheu de gente diferente das que a dona cultivava. Ela não descansou, vez ou outra insistia com o vigário-geral para transferir aquele filho do demo, e a persistência resultava em mais penitência, dá-lhe ave-marias e pai-nossos. Na homilia, o padre falava de um Evangelho diferente daquele que ela tinha ouvido e não lido; quanto mais ele falava, mais gente esquisita ia para igreja. No dia de Nossa Senhora, o padre armou varais de ponta a ponta na igreja e pendurou um monte de roupa suja, rasgada, calçados sem um pé, cintos sem fivela e outros imprestáveis doados para obras de caridade da paróquia. Quando o povo chegou para a missa principal e viu aquilo tudo, o bochicho foi geral. Na hora do sermão o padre maldisse as doações inúteis e pediu que todo mundo rezasse um pai-nosso para agradecer a deus a existência do pobre, aquele que é feito para receber o lixo da casa da gente. No dia seguinte, logo cedinho, outro padre assumiu a igreja, e o moço formoso – banido – partiu na sua moto para outras paragens. As boas línguas dizem que ele continuou professor, sem batina.

| *lenço atrás*

O que eu mais gosto no meu trabalho como enfermeira é visitar as pessoas em suas casas, estimular o cuidado. Há dias acompanho um casal de idosos; ele, diferente de muitos homens que conheci em situação similar, está decidido a cuidar das feridas da companheira, duas úlceras varicosas enormes. Ela não esconde o gosto de ver o seu homem tão envolvido para ser o cuidador. Estão juntos há cinquenta anos naquele lugar. Ali criaram seis filhos agricultando a terra; hoje, têm um ao outro. A cidade cresceu e chegou cada vez mais perto da propriedade; acompanharam famílias se amontoando ao redor. A favela surgiu rápido, como tantas outras, sem saneamento básico. Enquanto limpa a ferida com gaze embebida no soro fisiológico, ele conta que na horta fica à vontade, não abre mão do boné do Timão, da camisa de manga comprida para proteger do sol e do velho tênis, pois não anda descalço naquela terra. Toda manhã cumpre a mesma rotina: cuidar das verduras e da companheira. Com segurança, dá os últimos ajustes na atadura de crepe. Curativos perfeitos, a amada aprova. Enquanto arrumo a mochila para ir embora, ele vai para a cozinha buscar o cafezinho com bolachas para comemorar o feito. Diz que no sábado a sua rotina é diferente: acorda mais cedo para colher e colocar as verduras no carrinho de madeira que construiu – o Veloz – e vai para a feira vender a mercadoria. Faz questão de afirmar que é carrinheiro, pois quem puxa carroça é burro, e isso ele não é nem um pouco. Nesse dia se preocupa mais com a aparência, faz a barba, cuida das unhas, penteia o cabelo para trás com um pouco de brilhantina. Quando chega à feira, veste o avental de cor bege, exigência da Vigilância Sanitária. Diz que fica brioso quando a freguesia elogia a sua aparência, a limpeza do Veloz e a boniteza da verdura. Folhas grandes, brilhantes – vende tudo rapidinho. Quando a feira acaba, ele para no bar para tomar uma branquinha e depois na quitanda da Dona Quitéria para comprar verduras que ela traz da Ceagesp. Garante:

– De saúde eu entendo. Não como verdura regada a esgoto.

Por meses, toda quarta-feira eu escapava das aulas do cursinho e ia ao Centro Cultural ouvir suas histórias – minha mãe nunca soube, não entenderia. Até a semana passada, quando um envelope endereçado para mim sobre a nossa mesa, protegido do vento por uma pedra, dava fim aos nossos encontros. Busquei no entorno em vão; na mesa ao lado o velho negou informação, sorriu suave. Andei por todo o Centro Cultural, nada encontrei. Num canto com poucos olhares, sentada no chão, principiei a leitura.

Minha criança,

Eu te contei muita coisa inventada, teus olhinhos de jabuticaba avisavam que você precisava de histórias felizes para seguir adiante. Aproveitei cada momento, acredito que você também. Agora, chega de matar aula. Deixo escrito o que não quis falar. Desde criança me dediquei aos estudos, minha mãe me incentivou, retribuí sendo um bom aluno. No ano em que me formei no ginasial, ela morreu de parto com aquela que seria minha irmã. Na volta do enterro meu pai me colocou para fora de casa. "Lugar de mulherzinha-peluda é na zona", gritava no portão enquanto lançava roupas na calçada. Recolhi peça a peça das que a minha mãe usou, aquela rua não merecia ficar com nada dela; as minhas deixei na sarjeta. Minha primeira dormida sem-teto foi embalada pelo vento na nuca, pela boca seca, pelo medo que desenha sombras. Sentei no banco do ponto de ônibus para esperar o sol chegar. A Cinderela passou antes, sem carruagem. No lugar de bolsa, sacos pretos; nos pés a ginga desafinada da pobreza. Seus olhos velhos abraçaram o meu medo na outra ponta do banco, a distância dos corpos nos aproximou. Adormeci. Morei sempre de passagem, sobrevivo de bico e de sexo – mesmo estudada, não se dá trabalho pra bicha –, corpo velho é mais barato. Bombei silicone no peito, na bunda, nas maçãs do rosto – você nem desconfiou –, sou trans, mulher trans. Não perdi a vaidade, preciso dela para viver: banho tomado, roupa limpa, um batonzinho. Tem dia que sonho com uma casa, um banheirinho cheiroso, uma cama bem-arrumada. Sinto falta de ter um lugar só para mim; se conseguisse um dinheiro por mês eu alugava um quarto. O último que tive foi no Carandiru, cumpri pena grande, de bom os shows nos finais de ano, da Rita Cadillac, deslumbrantes. Passei por alguns albergues, não gosto de nenhum, mas servem para o banho e a dormida, de manhãzinha a gente tem que cair fora. Quando chove ou está muito frio busco centro cultural ou biblioteca pública até dar a hora de voltar. Se alguém oferece comida, roupa, bebida quente, dinheiro, eu pego: não peço, nem faço cara de carente. Depois divido com as colegas. A rua não é sina. É condição. Sobra. Só percebe quem vive dela. Por isso, minha criança, eu invento histórias, contá-las me faz bem. Que a Nossa Senhora e a Cinderela te protejam.

Li três vezes a carta, nunca tinha recebido uma. No Google busquei "mulher trans". Uau!

Mãe, tô ligando porque não acho o cheiro-verde, não tem nada escrito nas gôndolas, nem nos pacotes. Fiz como você me orientou, pedi ajuda para uma senhora aqui no setor de verduras, ela me ignorou, arrumou a máscara no nariz e saiu rápido da área. Diga lá, o que é cheiro-verde? Que é verde eu deduzo, mas e o cheiro? Sem gozação, explica logo, quero cair fora daqui rapidinho. OK. É um maço com cebolinha e salsinha junto. Maneiro, entendi tudinho. Mãe! Por acaso cebolinha é aquilo que você coloca na bacalhoada, com as batatinhas? Não ri. OK, por que não falou antes? Entendi. A cebolinha parece o cabelo do Cebolinha da Turma da Mônica. Fácil, achei o maço. Como é que é? Eu preciso tomar cuidado para não pegar coentro no lugar da salsinha? Você só pode estar brincando, fala sério. Não, não está. Têm os dois tipos de maço, preciso cheirar para perceber a diferença. Entendi, a salsa tem um aroma bem suave; o coentro, um cheiro forte igual ao do percevejo amassado. Mãe! Eu lá sei que cheiro o percevejo amassado tem? Você está de sacanagem comigo, não está? Para pegar o que eu achar melhor, depois você dá um jeito. OK. Se já peguei a escarola? Não, não peguei. Como é isso? Sim. Parece alface, mas têm folhas mais duras e escuras. Preciso ter cuidado para não confundir com o almeirão, sim, sim, o meu irmão gosta é da escarola. As folhas do almeirão são mais estreitas e alongadas. Mãe, quem está aí com você? Estou ouvindo risadas. É o pai, não é? Vocês estão de sacanagem comigo. Poxa, tô me esforçando – precisam ficar em casa, o vírus é foda –, mas a dupla tá abusada, né? Tá, eu sei que vocês me amam, também amo vocês. Logo mais tô em casa. Como é? Para eu não esquecer a fraldinha e o patinho? Mãe!

| *mímica*

Em meados da década de 1980, chamaram-nos para atender ao telefone público no boteco parede a parede com o posto de saúde – o nosso aguardava manutenção há dias. Do outro lado da linha, um avô de primeira viagem não poupou adjetivos para a nossa demora, sua caçula paria ruidosamente na casa dele, precisava de ajuda. Por rádio, acionei a emergência, sabendo que a única ambulância da cidade priorizava outros padecimentos. Arrumei a mochila com artefatos para primeiros socorros, confisquei a bicicleta do vigia, desembestei para a casa do velho, a uma quadra da Igreja Nossa Senhora do Bom Parto, fácil de achar. O guarda municipal chegou antes; ouviu no rádio o pedido. Fez o parto. A mim coube cuidar do pequerrucho recém-lançado ao mundo e cumprimentar o guarda pelo ótimo trabalho. Sobre a mesa, os apetrechos usados – tesoura, álcool, toalhas, cadarço, bacia com água quente – davam corpo à sua façanha de parteiro. Dono de si, explica:

– Quando o bebê mostrou a cabecinha, eu o amparei com as toalhas limpas, tirei o cadarço do meu Kichute, amarrei bem apertado no cordão do umbigo, peguei a tesoura, desinfetei a lâmina com álcool, cortei o cordão. A placenta deixei noutra toalha para a família enterrar no quintal.

O avô chega com cafezinho cheiroso coado por ele no capricho, fala do neto com amor de pai. Fico um tempo mais na casa, presencio a primeira mamada do bebê, espero a mãe serenar, tudo certo, hora de partir. Na saída, pergunto ao guarda sobre a bacia com água quente. Ele responde com pompa:

– Sei lá, fiz como nos filmes de faroeste. Foi onde aprendi a fazer parto.

| *morto-vivo*

Na tarde de domingo, o ônibus não está lotado; experiência prazerosa para quem estreita o corpo na disputa por espaços que o coletivo oferece aos usuários. Avança para além do quadrado que a companhia de transporte urbano destina aos da sua idade, cumprimenta a cobradora, paga a passagem contrariando o direito adquirido ao passe livre para idosos. Soberba, no agasalho de moletom que ganhou do neto no recente aniversário de 77 anos, calçando tênis colorido pela primeira vez, desfila pelo longo corredor do veículo sobre rodas. Invejável equilíbrio. Escolhe a última fileira; a boniteza do tênis brilhoso se destaca no movimento de subir o degrau para acessar o banco alto. Desejo antigo, enrustido por vergonhas que a idade vai levando embora. No banco escolhido aproveita o pôr do sol, somente para a cobradora ela é visível, os poucos passageiros desfrutam outros desejos. O motorista tem pressa, o fiscal no ponto final lhe cobra pontualidade. O trajeto é longo. A velha aproveita. O condutor não vê a lombada. O ônibus gangorreia, a velha acompanha – sobe, no teto a cabeça; desce, no chão o corpo estendido. Ainda fala, não sente os pés dentro do tênis, tampouco as pernas e os braços no acolchoado moletom vermelho.

Do lugarejo pouco tenho a dizer. Casas desbotadas abraçando a Praça da Matriz; ao longe o grupo escolar; mais distante, vizinho à casa do meu pai, o cemitério. Urubus planando livres. Da avó, admiração. Franzina, ludibriava a calmaria do lugar desmaterializando ovos. No sótão do casarão que habitou até morrer de velhice, ela ajeitava com precisão de maquinismos os artefatos à espera dos céticos. O móbile das chapas finas de zinco ficava preso na viga maior; sobre a caixa d'água, armava uma pequena gangorra, de um lado equilibrava a lata cheia de bolinhas de gude, do outro colava a lata com areia que tinha o furinho na lateral. O móbile e o pano que estanca o furo na lata de areia eram presos com fios de náilon que desciam rente à parede do corredor até os pés da pesada cadeira colocada em frente à mesa, esquecida há tempos. Iluminação a lamparina completava o cenário.

Nos domingos sem lua, minha avó abria o casarão. Nesse dia, meu encargo era cobrar os ingressos e cuidar da cesta com os ovos que ela arrumava no centro da mesa – alguns limpos, outros com discreta serragem grudada na casca. Os pagantes se assentavam nas cadeiras colocadas em círculo ao entorno da mesa, na porta, minha avó observava cada movimento, somente eu ficava fora da roda, no corredor, sentada na cadeira dos fios de náilon. Começava a sessão com a evocação do seu defunto favorito – o marido nunca visto. Nesse momento eu puxava os fios de náilon, o som das placas de zinco tomava conta do lugar, os convidados arrepiavam, eu mantinha a concentração. O cuco à sua frente sincronizava o tempo para a areia escapulir pelo furinho da lata, alterando o lado da gangorra, e libertar bolinhas de gude no teto. Hora de convidar outros defuntos para remover gemas e claras e substituí-las por água. Barulho só dos corpos em movimento nas cadeiras, delícia de ver. Em seguida, os participantes escolhiam ovos na cesta – "A água indicará os puros" – um a um quebrado e despejado na vasilha ao centro da mesa. Os "impuros" constroem desculpas, os outros respiram aliviados. Que espetáculo. Ninguém se metia com a minha avó. A vizinha até tentou, em vão; por três vezes saiu com o ovo como a galinha pariu, a comunidade não lhe deu ouvidos.

Ontem, muito distante dali, arrumando as caixas antes do despejo, desembrulho a minha herança: a gangorra e o último bilhete da minha avó – "Feitiço só pega quando o enfeitiçado acredita no feiticeiro". Comprei uma dúzia de ovos, seringa, agulha e um pouco de gesso branco. Começo amanhã. A primeira sessão está com todos os ingressos vendidos.

De novo, o cheiro do bife na chapa. Cheiro de infância, do bife da tia Maria. Não servia qualquer carne, tinha que ser do açougue do seu Manoel. Patinho. O meio da peça: tenro, sem gordura. Precisava cortar bem fininho, temperar com sal, pimenta do reino e óleo, esquentar a grossa chapa de ferro por exatos dez minutos, pegar o bife com um garfo comprido e passar a carne na chapa garantindo o tchá-tchá-tchá. O som dava o ponto da carne. Que delícia. Várias vezes tentei repetir esse ritual em casa, sem sucesso. Ela me consolava: o segredo está na chapa. Acho que não, ele está é na memória da gente.

Certa vez, um amigo de um amigo do meu pai contou que conheceu uma mulher – acho que chamava Maria – na escola municipal onde estudou, no interior de São Paulo. Disse que, além de entender muito de vassouras, rodinhos, panos, limpeza das salas de aula e do pátio do colégio, ela adorava conversar com as crianças, sabia o nome de todas, dava conselhos até para as professoras. Muita gente passou pelas suas histórias – inclusive ele. Algumas ela jurava que eram de verdade, outras tantas inventava com vontade. Todo início de ano a diretora a convidava para falar da importância do estudo na vida das pessoas, então ela contava detalhes sobre a dureza que foi passar no concurso público para trabalhar naquela escola; diz que pediu livro emprestado, dicionário – não tinha biblioteca no município –, comprou um caderno de caligrafia para deixar a letra bem desenhada. De dia lavava e passava a roupa das patroas; à tardinha, depois do banho, se dedicava aos livros. Por dias estudou, estudou, estudou, muito decidida a não passar vergonha na prova para ajudante geral. No dia do exame conta que despertou antes do sol, o filho mais velho, seu grande incentivador, preparou o desjejum reforçado, pingado e pão com manteiga. No bornal, ele arrumou a garrafa com chá gelado e o pacote de bolacha – luxo naquela época –, o estojo do neto com caneta, lápis, apontador e borracha, o documento e a ficha de inscrição. Foi com ela até o ponto de ônibus; era um dia lindo, metade do mês de setembro. Chegou duas horas antes do início da prova no ginásio onde aconteceria o exame. A espera rendeu a reza de dois terços, contava ela com orgulho da proeza.

Ele testemunhou várias vezes a criançada atenta ouvindo a Maria, as professoras interrompendo para incentivar os pequenos ao estudo. A cada ano ela incluía novos detalhes. Na última apresentação, na festa da sua aposentadoria, recontou histórias, e acrescentou uma ao repertório. Sobre a questão de português que exigia dos candidatos a correção gramatical da frase: “Meu chefe me mandou eu comprar cigarro”. Diz que escreveu bem redondinho na folha da prova do concurso: “Eu fui. Chefe a gente não correge nunca”. Foi ovacionada com gritos de júbilo pela plateia.

Foliões impõem uma estética colorida, quase feliz, à estação do metrô; em bloco, farejam os que não se fantasiam. Por sorte usam os olhos na mastigação quase indolor. No vagão do trem, asas repousam presas à barra de apoio sobre a minha cabeça – algum anjo desistiu de ser-divino. No assento ao meu lado, o jovem-Apolo dedilha a tela do celular, parece mais vício do que necessidade. Maior do que o banco, ocupa parte do meu; encolho centímetros do corpo para não encostar ao glitter-suor do dele. As portas do trem se abrem, duas jovens piratas se postam à nossa frente; a menorzinha contempla as asas, cutuca com o cotovelo a amiga, sinaliza para o alto com o queixo, repetem algumas vezes esses movimentos com trocas de risinhos. A mais corajosa pergunta ao rapaz se o par de asas é dele – transparente no cenário, me delicio – e se pode pegar para ela. Ele larga o celular, quilos de músculos se deslocam para cima, sorri para as jovens, que retribuem com risinhos nervosos. Então pega as asas, entrega para elas, garante que algum gaiato esqueceu, ele jamais as usaria. Uma tenta gracejo:

– Combinam com você, parece um anjo que cansou de voar e agora repousa no trem.

Ele se faz sério, a outra insiste:

– Tem certeza que não são suas? Você é lindo como um.

Ele retorna ao banco. As meninas não lhe dão folga. Quase sinto compaixão por ele, parece frágil para os dias atuais. De repente, não mais que de repente, fez-se de fera o que se fez gentil; ele se levanta e, com vozeirão que preenche todo vagão, anuncia:

– Não sou anjo! Sou o pai de deus. Assisti à criação do universo. Saiam de perto, seres insignificantes.

Passageiros vibram com o espetáculo improvisado, alguns batem palmas, poucos deixam trocados sobre as asas que repousam no banco ao meu lado. As piratas não ficam para o segundo ato; assim que as portas se abrem elas desembestam para fora. O jovem-Apolo recolhe os trocados, arruma as asas na barra de apoio, retoma o celular. Deixo-me conduzir para outros mistérios.

| *paciência*

No verão de 2018, na badalada praia da Bahia, encontrei uma mulher enterrada no chapéu verde e amarelo de abas grandes. Seus olhos miravam o livro aberto sobre as mãos, fixados algum tempo na mesma página. A cadeira reclinável aguentava aquele corpo volumoso com mais cuidado do que ele se mantinha sobre ela. A imobilidade me perturbou. Encostei a mão no seu ombro direito com delicadeza, na verdade, medo-delicadeza da pele fria da morta, porventura estivesse. Não era o caso, moveu o chapéu, desnudando olhos desprovidos de companhia. Por minutos cuspiu ausências de bonitezas preenchidas pela hipotética superioridade. Palpita da boca pra fora; da boca pra dentro é pensamento, não consegue. Melhor estivesse morta.

Quando conseguiu o terreno na periferia, não imaginou que décadas depois teria a Unidade de Pronto Atendimento – conquista do movimento popular de saúde – como vizinha da frente. Lá estabeleceu a vida, cuidou dos pais, criou os filhos. A casa ergueu com companheiras de luta em mutirão autogerido. Há semanas, em retiro obrigatório, acompanha a vida pela janela; a Saúde exibe doença vestida de gente à espera de socorro, sirenes de ambulâncias competem com as dos carros funerários – compassam a nova norma. A morte chega vestida de vizinhos, indiferente e amarga. A televisão exibe números robustos: doentes, poucos curados, hospitais lotados, profissionais da saúde desfalecidos, gente sofrendo sem abraço. Depois do comercial carrega mais notícia, agora, carreata buzinando morte – dos outros. Em seguida São Paulo – nua – mostra a distribuição dos mortos e doentes nos seus bairros: o vírus não escolhe vítima, a morte é seletiva, prefere os mais pobres. A velha dribla a impotência com trabalho. No alpendre da casa oferece duas caixas, numa escreve "Doe Tecido", na outra "Pegue Máscara". Se pôs a costurar, com as máscaras tece Vida enquanto esperança.

| *paredão*

Na sala, três dezenas de candidatas não desgrudam os olhos da jovem contida no terninho cinza com o cabelo minuciosamente esticado em um rabo de cavalo. Maquiagem discreta, perfume doce. Com voz clara, bem definida, ela se apresenta como psicóloga responsável pela seleção de pessoas. Em seguida, reforça o que o classificado do jornal do bairro já anunciara: contratamos mulheres, com ensino superior completo, boa comunicação verbal e escrita, experiência para a função. Toma um gole de água no copo de vidro transparente que está sobre a mesa ao seu lado. Com dedos ágeis no teclado do computador projeta na parede branca lisa informações sobre as etapas do processo de seleção. O ar-condicionado congelante da sala destoa dos 29 graus marcados no relógio de rua, visível pela janela. A cor do lugar é dada por nós, as competidoras. Desliga o projetor e, sem intervalo, conduz a próxima etapa; para ajudá-la, dois cachorros com coleiras prateadas, trajando colete com o nome da agência de seleção, circulam pela sala; com faro fino selecionam mulheres. A psicóloga garante: os cães não se enganam. Próxima etapa: entrevista.

| *passa anel*

O bolo recém-assado ocupa lugar nobre na mesa da cozinha, o cheiro imanta a família ao seu entorno, um a um tomamos lugar nos bancos de madeira entalhados pelo tio artesão. Na bancada de granito ao lado, ela coa o café. Salivo como o cachorro de Pavlov, minha prima sabe burilar com meus sentidos. Cozinha – nas casas da minha família – é espaço nobre, sem diferença entre grande ou pequeno, mulher ou homem, os de casa ou os agregados. Canto para experimentação. Nelas, apreendi o verbo amar. Com o café, minha prima serve aconchego – hoje está faltando gente, o nosso avô foi experimentar outros sabores.

Na entrada do prédio, a mãe e o filho cumprimentam o porteiro, velho conhecido da família, a avó mora no lugar faz muito tempo. A criança com a mão direita puxa a maletinha na forma de dinossauro, com a outra abraça o Garfield de pelúcia. No uniforme da escolinha, as marcas das brincadeiras, a manhã foi intensa. A mulher equilibra a bolsa, a valise de trabalho, a mochila do filho, a vida. Na rua, o sol a pino marca meio-dia. É verão.

Os dois conversam. O assunto teve início na saída da creche.

– Pede pra ela, pede – implora o filho.

– Você não está exagerando? – pergunta a mãe.

– Tô, não. Fala, vai. Por favor, mamãe.

– A vovó ama você. Sabe disso, não é?

– Eu também amo a vovó. Mas ela ataca minhas bochechas e aperta sem dó. Fala pra ela não fazer mais. Fala.

– Está bem. Vou pedir para não apertar. OK?

– E pede também pra ela não dar beijo molhado – lembra o filho.

Saíram do elevador. Ele ficou no corredor esperando que a mãe cumprisse as promessas. A avó abriu a porta do apartamento, ouviu as recomendações da filha, riu muito e foi buscar a criaturinha. A mãe se despediu com um beijo em cada um dos dois.

– E aí, rapazinho? Tudo bem? Vamos entrar. Dou a minha palavra: sem bochechas e sem beijos molhados. Abraço pode?

– Pode. Abraço de urso. Bem apertado – pediu o neto. – Eu amo muito você – falou mimoso.

– Que delícia! Menino cheiroso. Esse abraço é bom demais. Gosto muito.

– Vó, lê o resto da história? Aquela! Da Maria-Fumaça.

– Após o almoço. Tá bom? A gente lê junto e depois descansa um pouquinho.

Bela dupla, um faz companhia para o outro. As tardes existem para eles, só para eles. Nelas, produzem memórias. Na hora do lanche, a avó pergunta:

– E aí, garotão? Pensou sobre o que você vai ser quando crescer?

– Grandão! E astronauta, bombeiro, contador de historinhas. Por enquanto. E você?

– Eu? – A avó se surpreende.

– O que você vai ser quando ficar mais velhinha?

| *pé com pé, mão com mão*

Lá fora, na calçada, o homem velho carrega dois cartazes – à frente e às costas –, presos ao ombro: "Compra-se Ouro". Seus passos são lentos, as pisadas fortes destoam do corpo franzino que carregam. Enfrenta o sol, o chapéu de palha guarda a cabeça; o corpo tem menos sorte, a camisa branca com colarinho puído denuncia o suor que escorre e desenha marcas por entre as placas. Entorna a garrafa com água que abastece na torneira da praça repetidas vezes, busca sombras nas árvores, vez ou outra descansa o corpo velho nos bancos de cimento com barras para coibir dormidas dos bichos do Bandeira – seu rito baliza minha solidão. Às seis horas da tarde, uma kombi branca machucada pelo tempo estaciona na frente do prédio, onde recolhida observo. Ele e outros na mesma condição se arrumam em fila. De dentro do carro salta uma jovem com o sorriso da Mona Lisa, recolhe as placas, uma a uma, em troca dá uma nota de dinheiro para cada homem, trabalho feito, vai embora com o motorista. A fila se desmonta, alguns se despedem, outros seguem mudos por caminhos diferentes. No dia seguinte, às dez da manhã, a kombi volta ao mesmo lugar. Em fila os homens aguardam, a jovem Mona Lisa distribui as placas, o meu Homem toma lugar para a jornada de trabalho, se veste de homem-placa. A gravidade arca seus ombros para a frente. Nos fins de semana ele descansa, embaraça as marcações da minha vida.

| *pega-varetas*

Nasceu, é dada a largada – relógio de mãe não tem ponteiros, tem filho. Nos primeiros anos, mãe esperta é a que dorme quando a criaturinha também descansa – não tente ensinar ao bebê a dinâmica noite-dia, você só vai ficar mais tempo acordada. Aproveite. À medida que cresce, deixe-o bem cansado durante o dia; garanto, a noite será sua. Aproveite. Quando ele achar que é independente, você será insone, principalmente nos fins de semana; durma de dia. Aproveite. Um dia estará adulto, pronto para ser quem ele quiser ser; orgulhe-se, durma só se precisar. Aproveite. Valeu a pena.

No quarto, ovos de lagartixa repousam no ninho improvisado na caixa de sapato, lagartas se preparam no teto para a grande metamorfose, aranhas são bem-vindas no canto superior da parede – melhor tê-las do que pernilongos. À cachorra – irmã conquistada – detalha as descobertas sobre a fauna possível no apartamento incrustado na megalópole. Livros sobre bichos disputam lugar com gibis da Turma da Mônica na estante.

A bióloga-madrinha se orgulha do afilhado e vez ou outra traz presentes para aumentar sua potência de voo. Deu microscópio, lanterna noturna, luvas, pinças, um avental de cientista feito especialmente para ele. Passam bons momentos juntos; conversa de brincadeira-séria sobre a ciência da Vida. Duas vezes ela mimoseou um deus nos acuda. A primeira vítima foi uma carpa vermelha num aquário um número menor do que o peixe. O bicho só ia, não conseguia voltar – nado-prisioneiro. Ele a libertou no dia seguinte. Ela foi junto, e com pompa conduziram o peixe ao lago com carpas, no jardim do amigo da amiga da mãe. A outra vítima foi o hamster, despovoado na gaiola colorida. Ele bronqueou de chofre assim que viu.

– Bicho-preso? De novo!

A mãe socorreu o assombro da amiga, garantiu que o novo morador poderia ficar livre no quarto dele sempre que estivesse por lá. Trato feito. O bichinho se adaptou à nova vida, não largava a cachorra que o adotou rapidamente, mimando-o, lambendo-o à exaustão.

Foi enterrado ontem às quinze horas no quintal da casa da bióloga-madrinha.

O roedor morreu de limpeza. A cachorra passa bem.

| *pega-pega*

Na praça, três homens negros com batas e quepes coloridos conversam, gesticulam histórias. O mais alto e muito magro carrega nos braços um caderno e o livro *Português para estrangeiros*. O baixinho troncudo traz a tiracolo uma bolsa de pano bordada. O outro é só sorriso, não tem nada nos braços. A moça ruiva, com cabelos cacheados até a altura dos ombros, se junta ao grupo – multiplicam-se cumprimentos. O baixinho tira da bolsa um pacote, dá para a jovem: brincos delicados, azuis, da cor dos olhos dela. Ela pede ajuda para colocá-los. Lindos! Na esquina dois grandalhões observam a cena. O de camiseta camuflada verde-oliva cutuca o outro com o cotovelo, cerram os punhos. O vestido de preto com coturno alto de couro enche e esvazia o peito com força, e seu parceiro projeta o queixo para a frente dando sinal para avançarem. A moça pega o gesto no caminho e entra com o grupo na sala de leitura da biblioteca que enfeita a praça. Escolhem a mesa no centro, bem iluminada, ela sabe, visibilidade é sobrevivência.

| *pescaria*

Para conseguir espaço na estante, ataco a caixa de madeira com fotografias herdadas dos que vieram antes de mim; imagens da família remota, no verso letras borradas pelo tempo enunciam nomes escritos a pena. Recolho algumas. Com paciência digitalizo meus bisavôs, depois avôs de quem só ouvi falar – partiram antes. Escolho outras gentes, poucas paisagens, organizo as imagens no meu mundo virtual na pasta família. Investigo o passado. Minha filha se diverte com o móbile de peixinhos pendurado no carrinho, o filho joga videogame ao seu lado, o marido se foi há tempos – meu movimento é solo. Fotos escolhidas, eu começo a destruição: rasgo, metodicamente, rasgo, uma a uma; encaro a imagem, depois rasgo. O pó fino do papel velho se acomoda entre meus dedos e sobre a mesa que sustenta a grande caixa – exercício purificador. Escolho quem continua na minha história; sobrevivem os que me causam gozo.

| *peteca*

Certa vez, num mundo nanico, mais uma mãe adverte a filha:

– Falei pra não se meter com aquela gente. Você, teimosa, não escuta.

A filha, que nem criança é, comemorou 33 anos na semana passada, suplica:

– Mãe! Não adianta criticar. Ajuda.

Ela, que aprendeu a ser mãe noutros tempos, lamenta, respira curto, lhe falta ar, sussurra:

– Afinal, o que você espera de mim?

A filha é certeira:

– Pega a escada e me tira da cruz.

Na esquina da Paulista com a Augusta, duas senhoras perfumadas protestam:

– De novo! Num dia os verdes-amarelos, hoje os vermelhos. Não tem sossego.

Escolho a Augusta, desço alguns quarteirões. Jovens desocupam uma mesa de bar na calçada, o garçom de boina avisa:

– Garotada, não esquece o vinagre, olha o lacrimogênio.

Entro na Caio Prado. Na esquina com a Consolação, a Maria Antônia se mostra com os meus fantasmas de 1968. Evito. Viro à direita, descer é automático: sigo pela Consolação, e na esquina da São Luís o trajeto me oferece a biblioteca Mário de Andrade. Almejo o banheiro. A memória do Mappin me faz caminhar. Na sua frente o Theatro Municipal continua majestoso, na escadaria um grupo vocifera:

– A nossa bandeira jamais será vermelha.

Ao lado velhos exibem placas com vagas de emprego. A vida anda, eu também. Desço a rua rumo ao Vale do Anhangabaú e sigo sobre o rio coberto para o outro lado: Edifício Martinelli, Banco do Brasil, Bovespa, Bolsa de Mercadorias, fetiches da capital do capital. Caminho até a João Brícola. Viro à direita na Boa Vista, bancos e repartições públicas se distribuem no território. Na calçada gente apressada, celulares em punho, olhares frouxos; no degrau do prédio fechado o jovem viaja no *Capitães da Areia*, ele se entrega à leitura de perdição. O Pateo do Collegio me chama para o lanche da tarde; o pão e o café Pessegueiro excelentes como sempre. Banheiro, dois reais; o dinheiro disciplina o local do xixi. Estou entre os que pagam e agradecem.

O banheiro também serve para enturmar, duas velhas me convidam para ir à Capela São José de Anchieta:

– Fica aqui ao lado, você vai gostar.

Fomos. Na entrada, o carpete no chão e a parede de azulejo à esquerda informam: "Aqui se entra para louvar o Senhor e se sai para amar os irmãos". A luz vermelha no altar não me hipnotiza como dantes, admiro a decoração. Na esquina a Associação Comercial de São Paulo exibe a placa do Impostômetro, embaixo dois ternos enaltecem a Lava Jato, ao lado o homem do saco grita:

– Lava eu, lava eu.

A menina pela primeira vez adentra a Pinacoteca do Estado, ali, muito perto do Museu da Língua Portuguesa e do Parque da Luz – tudo é encanto. A pequena alcança história na luz-tijolo-sombra daquele lugar. No térreo, no vão-luz, rodopia olhando para o alto. Poucos metros dali, o motivo da visita, a amiga da tia faz festa para mostrar o livro que escreveu – a tia folheia um, na fila. Muita gente grande junta, não conhece ninguém, criança é a única. Quando a tia chega à mesa do autógrafo, ela corre para junto dela. A escritora deixa a caneta, a atenção agora é para a pequena, que se mostra inebriada com tanta letrinha junta presa no livro grosso de capa bonita. Fita a escritora, dispara:

– Foi a sua professora que mandou fazer essa lição grandona?

A escritora sorri pra dentro, brinca com os cachos da garota, diz que sim:

– Foi a professora, a primeira, aquela que me ensinou as letras.

| *pula carniça*

Desde quando carícia é crime? Não fiz nada de mais, afaguei os cabelos e beijei a lateral do pescoço dela. Com respeito. Uma vez apertei as coxas, não aguentei. O resto do corpo, só elogio. Olha! Se ela não gosta de galanteio, por que malha tanto na academia? E o decote? Precisa ver aquilo. Ela não é flor que se cheire; aliás, nem flor ela é. Me enganou direitinho, tão bonita, sensível, cheirosa. Recusou até a promoção: "Gosto da minha equipe, não é o momento para deixá-la". A bandida me fez de trouxa, ganhou tempo para reunir provas. Como não desconfiei? Mulher ordinária. Nem parecia inteligente, mas ela pensa como homem. Não sou santo, mas assediador eu também não sou. Na empresa comecei por cima: herdeiro do sogro. Não foi golpe do baú, não. O maior tesouro que ele me deu foi a mão da sua princesinha em casamento, exímia dona de casa, não deixo lhe faltar nada e ainda cumpro com o meu papel de marido. Agora, na empresa, sou homem, certo? Mulher que não sabe lidar com elogio não está pronta para o mercado de trabalho. Que fique em casa, arranje um bom partido para lhe fazer os gostos. Ela é uma feminista complicada, não se contentou com o boletim de ocorrência, organizou um bando, quer acabar comigo. Não está sozinha, arregimentou homens também – em surdina o grupo infestou todos os departamentos da empresa, até a equipe de segurança. Ativistas insubornáveis. Tem até branco, mas pobre. Isso que dá permitir a qualquer um estudar. Perdi o cargo na empresa – a diretoria achou melhor que eu renunciasse. A mulher me evita em casa, a caçula saiu de casa, não devia ter deixado estudar ciências sociais. Mulheres!

O filho me apoia, entende que é coisa de homem, ajeitou a situação sem sujar as mãos, pagou em dinheiro vivo o tiro certeiro feito assalto.

No barzinho a conversa que começou na sala de aula continua: as três escrevem teses sobre mulheres. A mais nova fala do filho. Ontem, ele pediu para comer arroz e feijão; diz que não aguenta mais lanche, batata frita, lasanha congelada:

– Mãe, por favor, frita ovo também. Tô com saudade de comida de verdade – ela conta imitando a voz da criança.

Riem, por vício, ou desespero, também têm fome de outras coisas. O tempo para entrega dos manuscritos está no berro, a orientadora deu o ultimato: falta-lhe sororidade. A outra é só desabafo:

– Estou acabada, intercalo a tese com os plantões no hospital. Nos dias de escrita desabo sobre a papelada; nos outros, invejo os doentes acomodados nas camas. Na noite passada por pouco não troquei de lugar com uma.

A terceira abre a cerveja geladíssima, se diverte, diz que guardou a Beauvoir no freezer, tirou a sopa, colocou o livro. Como não abre o freezer todo dia, enlouqueceu a família procurando o bendito, acusou a companheira de boicote ao pensamento livre. Dois dias depois achou a obra:

– Congelei a teoria. Serve os copos, o primeiro brinde vai para a ciência.

O velho acarinha as mãos da amiga, pergunta se ela pensa na morte, se tem desejos. Ela, prática, garante que não quer ir para o céu, ouvir anjos tocando harpa por toda a eternidade a faz desanimar de morrer. Quer o inferno, mais animado, imita a sua vida terrena. Ele, cauteloso, pede que ela não brinque com isso, amplia a questão:

– O que deseja que eu faça com o seu corpo?

Estranhando o rumo da prosa, ela instiga:

– Está dizendo que eu vou morrer antes de você? É uma ameaça ou só premonição?

Ele se remexe na cadeira. Ela conta que é doadora de órgãos e tecidos, o amigo pode entregar tudo. Se sobrar alguma coisa, é só cremar e depois largar as cinzas para que o vento esparrame. Ele a toma nos braços:

– Que vento que nada. Depois de cremar, vou guardar você no vidro de pimenta-do-reino e salpicar todo dia na comida. Tempero sofisticado; o uso contínuo vai me deixar poderoso e picante.

Ela roça a boca na orelha dele, a língua diz segredos de liquidificador.

– Trato feito. E se você morrer antes, eu como você.

Ele desfruta, confia, retribui, sussurra:

– Quem come cinza é canibal?

Finalmente intervalo. Jovens ocupam espaços do pátio principal da escola, hora de conversar coisas da vida – a imaginação fica presa nas salas de aula. Professores correm para a pausa merecida; às vezes a garrafa térmica garante o cafezinho na sala que lhes protege do alvoroço dos estudantes. Só a professora de matemática toma outro caminho; essa prefere o pátio, senta no primeiro degrau da escadinha que leva ao palco improvisado. Duas jovens se aproximam, oferecem pipoca doce, se ajeitam, uma de cada lado da mestra.

A mais velha é direta:

– Prófe, vê bem, a miga aí do lado tá na maior roubada. Já falei pra ela que o cara não presta, maior escroto, tem que terminar com ele logo. Surda não é, já que responde, ela é mesmo burra.

A outra se aprochega ainda mais do corpo da professora, e cheia de manha argumenta:

– Prófe, ela tá com inveja, ele pode ser escroto, mas é muito bom naquilo. Cê sabe, né?

– Miga, pra isso tem pau amigo. Termina com ele, o cara é violento. Vai dar merda.

– Prófe, ele falou que não casa, me quer longe do povo dele, mas em compensação me garante outros gostos. Sei me cuidar, só fica violento quando tá louco.

A professora tenta, boa em estatística, fala um tanto sobre violências contra mulheres, Lei Maria da Penha, coletivos feministas, ninguém solta a mão de ninguém, blá-blá-blá. A amiga é mais certeira:

– Escuta aqui, tô avisando, termina com o bicho louco enquanto dá tempo, não quero enterrar outra miga.

– Vê bem, o cara é fodão, vale o risco. Avisei pra ele: não quero ser esquartejada e nem estuprada, o resto eu aguento – garante a outra.

O sinal toca, hora de voltar às salas de aula onde a imaginação reina.

Os lados se encontram nos ângulos retos da mesa de jantar, sobre ela três pratos fundos com mingau de aveia maldispostos como o estado de ânimo de quem serve. A mesa tem mais cor do que as velhas que se sentam ao seu entorno para a refeição da noite. As cadeiras de rodas são encaixadas entre as pernas da mesa, as das senhoras estão escondidas por mantas cinza um tom mais claro do que a dos babadores amarrados nos seus pescoços.

A televisão ocupa o quarto lugar na mesa. Só ela fala. A cuidadora assiste à novela, duas velhas manejam a colher do prato à boca e da boca ao prato como nado sincronizado. A terceira a doença interrompeu o ritmo, a ela resta o vaivém da que cuida. Essa move a colher sem tirar os olhos da tela, vez ou outra esfrega o babador nos lábios enfraquecidos da que come.

O jantar tem o tempo da novela. O som da TV dá lugar à música relaxante que encharca o ambiente. As mesas são limpas, as velhas também. No corredor uma fila de cadeiras de rodas se forma, as senhoras aguardam a checagem do cuidado: medicação, fralda. Para quem precisa, nova muda de roupa é colocada sobre o colo. A fila anda, as cadeiras são deslocadas pelas de branco para os quartos, uma a uma as mulheres são arrumadas nas camas. Trabalho feito, as luzes só brilham no corredor. Vozes, são das de branco; as das velhas quando presentes viram murmúrios.

Às cinco e trinta da manhã, as de branco retomam a checagem do cuidado. Têm pressa, o plantão acaba às sete, o movimento agora é para a sala de refeição. Nova fila de cadeiras de rodas no corredor, entre as pernas das mesas as das velhas, os babadores nos mesmos pescoços, o cardápio mais sólido: fruta amassada com garfo, café com leite na caneca de plástico, pão com margarina.

No rádio, cantos de louvor. Na mesa sob a viga com a palavra SAÍDA desenhada em vermelho vivo, duas velhas se falam.

– Depois da velhice, o que vem?

– A morte.

– E depois da morte?

– Às vezes, assunto em almoço de domingo.

| *resta um*

No Bar Brahma, bebemos a despedida da vida de estudante, a entrega da casa na imobiliária, o último rateio das despesas da república. No guardanapo, o juramento subscrito por todas, relíquia que ficou adormecida no *As veias abertas da América Latina* até a semana passada, na arrumação da minha biblioteca: "Nesta solene data prometemos ser amigas para sempre e nos encontrar no mínimo uma vez por mês. São Paulo, 17/12/1981". O garçom assinou como testemunha. Guardanapo resistente – atravessou o tempo, 38 anos. Aquele foi o último encontro.

| *roda de bobo*

Por fim o apartamento ao lado foi vendido. O novo morador tocou a campainha para dar a notícia à vizinha parede a parede, presenteou guloseima e de antemão pediu desculpas pelo incômodo que porventura a reforma na recém-adquirida propriedade lhe causasse. Belo começo, gente educada faz toda a diferença, conjeturou a notificada. Serão somente três semanas, o mestre de obras planejou tudo: uma semana tira azulejos, pisos, troca portas; noutra assenta tudo de volta; mais uma para pintura, acabamento. Mudo no início da quarta semana – garantiu o positivo-vizinho. Sabedora das peripécias de reformas, ela sorriu aborrecimento, desejou felicidade na nova moradia, não facilitou amizade, frisou pausadamente que o barulho e a sujeira atrapalhariam sua rotina, reorganizaria a agenda diária na redação, comunicaria ao editor e ao curso online sob a sua responsabilidade. Um tchau encurtado selou o constrangimento. No dia seguinte, nove horas, o quebra-quebra começa e segue até às dezesseis. No outro dia, idem. No próximo também. Mais um, tudo igual. Na sexta-feira arrancam as portas, os batentes e os alizares. Colocam novos, a entrada se mostra poderosa, tudo em madeira maciça. A caçamba na rua escancara a demolição. Sábado e domingo, sossego. Risco a primeira semana no calendário. Na outra o barulho é diferente, contínuo e leve; a sujeira também, assentamento dos pisos, dos azulejos. Na sexta o vizinho-feliz faz a vistoria, do meu escritório escuto gritos, ignoro. No fim de semana coloco os textos em ordem; na rua, sons arrítmicos, descontinuados, me ajudam escrever. Nos dias seguintes, nenhum som, nenhum trabalhador.

Na sexta-feira as portas são retiradas, esculpidas à exaustão – pó fino não respeita frestas e invade meu apartamento. O mestre de obras não calculou a altura do piso, as portas não se movem. Quarta semana, barulho de retirada de azulejo, a nova caçamba na rua denuncia – o vizinho recusou o trabalho entregue. Quinta semana, eles barulho, eu protetor auricular; eles poeira, eu faxina diária; eles sujeira no andar, eu medito, respiro, medito mais ainda, resisto. Meu trabalho míngua. Repeteco na outra semana, na outra, na outra... Segundo mês, terceiro. Ontem emplacou um terço de ano. Meu prazo na editora está por um triz. Resolvi comemorar, fiz um bolo lindo, confeitei com chocolate belga, no recheio leite condensado. Caprichei no óleo de rícino, convidei o vizinho, o mestre de obras, os dois pedreiros, servi com gosto – tive deliciosos dias de plena felicidade, finalizei o meu livro.

Comecei de criança, com a chupeta na cachaça. O veneno era permitido. Bebida de macho, a família achava graça. Agora? Não existe mais ninguém. Santa branquinha, vivo por ela. Tivemos momentos de separação – poucos, muito poucos – na marra. Minha mãe dizia que eu estava me matando, no fundo ela tinha é ciúme, coisa de mãe, sabia que eu preferia a companhia da cachaça à dos outros que moravam naquela casa. Algumas vezes me internou, com camisa de força, o som da porta da ambulância fechando mais suave do que a voz dela: – É para o seu bem, éparaoseubem, éparaoseeeuuubeeeemmm.

Que meeeerrrdaaa.

Peguei um livro sobre venenos. Cheio de gravura e de explicação, um monte: acônito, antrax, arsênico, beladona, cianeto, cicuta, estricnina, gás mostarda, mercúrio, oleandro, polônio, sarin, tetrodotoxina, toxina botulínica, zyklon B. Muito veneno de bacana, difícil de achar, proibido de vender. Talvez, a estricnina, o chumbinho que mata rato. Noutra parte está escrito que beber veneno queima a boca e vai queimando tudo por onde passa. Muita dor, convulsão. Não quero sofrer, por isso, a cachaça: morro – como todo mundo – um pouco todo dia. Está servido?

| *roda pião*

Visitar os parentes em São Paulo era um programão de férias. Começava no ônibus da Viação Cometa perfumado a pinho, cada banco tinha um paninho branco, bem passado, encaixado na cabeceira, o meu pai dizia que aquilo era sinal de higiene. A gente embarcava à noite para chegar a São Paulo bem de manhãzinha; o nascer do sol era diferente, o ar tinha cor. O Terminal Rodoviário da Luz era um acontecimento. Lugar aberto, colorido, pastilhas pequeninas cobriam as paredes, os pilares, o chão; grandes painéis acrílicos com cores vivas enfeitavam o teto. Era bonito demais. Foi lá que eu vi pela primeira vez uma televisão em cores. Muita gente. Muito movimento. O meu pai não largava da minha mão. Pegar um táxi, outra aventura. Fusquinha. Engolia as malas pela frente, cabia tudo, o meu pai era o guia; o Largo do Paissandu onde moravam os tios e prima, o nosso ponto final. A última visita foi na sexta-feira de chuva fina, o Joelma sucumbia. O tio, trabalhador no prédio, virou número nos 187 mortos. Dias adiante tomamos o Cometa à nossa cidadezinha, tia e prima se juntaram a nós. Para sempre.

O avental bege é a única proteção à nudez obrigatória naquele lugar. Roupas, bolsas, sacolas, livros, até celulares os armários detêm; somente os calçados são permitidos às mulheres. A de branco-rouca canta nomes que saltam da prancheta apoiada na sua grávida barriga, ordena o fluxo: quatro entram, quatro saem, seis ficam, entreolham-se, algumas sorriem para as que chegam, para as que saem não dão a mínima.

Nos consultórios, outros de branco recebem vaginas, pâncreas, úteros, fígados, mamas, baços, ovários, bexigas – mulheres. Cada qual com uma máquina diferente inspeciona textura, secreção, formato, odor dos dóceis corpos que adentram os recintos insossos. Checados o nome e a data de nascimento, exames começam.

Na sala maior, a mama é prensada entre duas placas frias da máquina agigantada. A de branco-delicada é precisa, primeiro a mama esquerda – frente, lado –, depois a direita no mesmo processo. No consultório mais distante, a mulher na maca tem as pernas abertas e ligeiramente dobradas. O de branco-calado insere a sonda protegida com camisinha e lubrificante no canal vaginal, move-a por dez minutos. Na sala ao lado, a de branco-sorriso se apresenta, conversa com a mulher, a posição é a mesma do exame anterior, o procedimento é diferente: o espéculo abre o canal vaginal, o colo do útero é o protagonista, se exibe, permite a coleta de tecido, se deixa colorir. Na outra, quem se mostra é o abdome e as mamas lambuzados pelo gel melado. Ao de branco-grisalho cabe passear com a máquina sobre a pele captando as formas dos órgãos internos, vez ou outra suspira.

No zigue-zague as mulheres completam o ciclo das quatro salas, o vestuário as aguarda para ganharem a rua. Nova rodada, quatro entram, quatro saem, seis esperam.

Outros, de branco, analisam, classificam, imprimem e envelopam resultados.

Mulheres expectam vereditos.

| *rouba bandeira*

Aguardávamos o boletim de ocorrência, era final de tarde de uma emenda do feriado de Proclamação da República, a delegacia praticamente vazia. Na espera, o investigador puxa conversa e começa a relatar com detalhes mórbidos algumas ocorrências policiais. Eu não via a hora de aquilo acabar, dali só queria providências quanto ao roubo do meu carro, mas ele queria público. Resolve falar sobre o tráfico de drogas na região, afirmando que eu tinha sido vítima desse tipo de quadrilha. A revelação do meu filho de cinco anos de idade emudece o velho policial:

– Traficante? Então tá tudo resolvido. De tráfico a minha mãe entende, ela trabalha com os caras.

O silêncio tomou conta do local, até a máquina de escrever do escrivão se calou. O investigador ergue a cabeça, desloca para ponta do nariz o Ray-Ban, deixando à mostra sobrancelhas grisalhas mal aparadas. Corre os olhos por mim e dá sinal com o queixo para eu falar. Tomo fôlego, começo a explicar que sou enfermeira de saúde pública, trabalho em Unidade Básica de Saúde daquela região, conheço muita gente. Em pé, apoia o cotovelo direito no balcão e com a mão aberta coça a barba branca, por fazer. Ouve o meu relato com atenção. Conto que para atuar na comunidade eu me apresento na boca e explico o trabalho que vou realizar. Não me meto nas coisas deles e eles não mexem com a minha equipe; afinal, traficante também tem família, precisa de cuidado de saúde – tem cada criança linda. A casa, por exemplo, pode estar com foco de mosquito, demanda vigilância em saúde. Afirmo que é o meu trabalho, converso com o meu filho sobre o que faço, pergunto se ele também conta o que faz para a família dele. Continuava imóvel, com um sorriso cínico. Eu, na empreitada do convencimento:

– Para você eles são bandidos, é o seu trabalho, OK? Para a comunidade, eles nasceram lá, têm nome, têm história. Para mim, são pessoas que moram na área onde atuo.

Ele só movia os olhos, azuis, quase transparentes. Insisti. Isso é Saúde Pública. Coisa séria. Só vendo. É muito bacana. Tem mais... Com o barulho do tapa de mão aberta no balcão ele abruptamente me interrompe.

– Moça! É o seguinte. Estou dobrando plantão. Cansado. Não conta mais nada, não. Deixa para lá. Vai embora, leva o moleque para casa, cuida dele. Para de falar. Eu já devia estar acostumado, trinta anos de Delegacia, sempre aparece maluco. Pega o B.O. e vai para casa. Por favor, vai embora logo. – Olhou para o meu filho, deu uma piscadela, sentenciou: – Pobre criança! Que sina.

| *salto em distância*

Ela ouve vozes, todo dia fala com deus, depois detalha com calma cada assunto tratado, prometeu para ele que vai escrever um livro com todas as histórias. Invejo. Pedi que me ensinasse a conversar com ele, ela tenta, eu não aprendo. Garante que no meu caso eu tenho que esperar morrer, fenômeno raro, deus só falará comigo quando nos encontrarmos na minha morte. Perdi a urgência. Vez ou outra, pergunto para ela sobre como ele é. Ela elenca um monte de coisa que não me toca, quero saber mais, insisto:

– E se eu não gostar de deus?

Ela dá com os ombros para cima e segue em frente ouvindo a voz.

Deixei as artes para trás quando a Dona me pegou para criar. Eu tinha quinze anos, era a mais velha de cinco irmãos. Naquele dia, quando entrei no carro dela para ir embora, vi a lágrima escorrendo do olho do pai, a mãe deu um tchau acanhado. Eles queriam um futuro bom para mim. A Dona prometeu. Em São Paulo, tudo novidade. Na casa, roupa para passar, louça para lavar, chão para esfregar, crianças para cuidar. No primeiro ano, a Dona me levou um par de vezes para eu visitar a minha gente, depois decidiu que não precisava mais. Família era a dela. A minha, apenas recordação que se perdeu na tromba d'água que lavou Caraguatatuba e a minha gente em 1967. Nunca tive salário. A Dona falava que não precisava, pois eu não era a sua empregada:

– Você é como se fosse da família.

Também não tive mesada, nem presente nos aniversários como as Suas Crianças. No quarto delas só entrava para limpar – o meu fica fora da casa, depois do quintal, na edícula. Viagem junto, só para o Guarujá. No lugar do maiô um vestido branco, com avental bordado. Sem saber para onde ir, fui ficando, ficando, ficando. Envelheci "como se fosse". Cuidei da Dona quando ficou doente. Dei banho, troquei fralda, comida na boca, segurei na mão quando morreu. Não tive medo. Nem tristeza. Só nós duas na casa. As Suas Crianças resolveram tudo logo: velório, enterro, imóvel vazio para venda. Faz dois dias. Para mim deixaram um dinheiro e a recomendação:

– Procura um quarto. Seja feliz.

Sozinha, com óculos camuflando o curativo na sobrancelha direita, ela batuca suave em uma prancheta de madeira que apoia na palma da mão esquerda:

– Eu não uso celular, eu uso táubua.

No vagão ela desgraça o anonimato. Observo com suspeita discrição, ela percebe, troca a canção, aumenta o ritmo e o tom no tambor improvisado:

– Teu olhar mata mais que atropelamento de automóver. Mata mais que bala de revórver.

Jogo o olhar para o chão, mas não consigo desviar da criatura; nos pés dela algo que um dia foi tênis branco, com respingos salientes na cor vermelho-pisado. Nas pernas, hematomas em diferentes gradações e formatos tentam esconderijo sob a barra do vestidinho florido. Ela chega mais perto de mim, o batuque atrai mais olhos curiosos, a música já é outra:

– Tirou o anel de doutor para não dar o que falar. E saiu dizendo eu quero mamar, mamãe eu quero mamar.

Batuca com mais força, se aproxima, sinto a sua respiração, lado a lado me invade, de esguelha me controla, ela insiste, aumenta a potência da voz, a música é para todas as entranhas daquele coletivo:

– A carne mais barata do mercado é a carne negra, a carne mais barata do mercado é a carne negra, a carne mais barata do mercado é a carne negra.

No vidro do trem a minha camiseta denuncia: "Ninguém Solta a Mão de Ninguém". Tento esconder as letras cruzando os braços, as jovens sentadas nos bancos à frente riem. Quando o trem (finalmente) abre as portas, eu escapo para outro vagão, vestida com minha hipócrita sororidade.

O marido chega com um ramalhete de rosas vermelhas, como fazia todo ano no aniversário dela. Ela sabia, na véspera tirava o vaso do alto do armário para evitar trabalho. Na cozinha o cheiro do peixe assado denuncia o jantar especial que ela preparou para comemorar setenta anos de vida. Ano sim, ano não ele comprava um bolo na padaria, ela sabia. Nas ausências assava o próprio bolo, exceto dessa vez, preferiu esquecer. Ele nem percebe.

A rotina os encharca há algumas décadas. Todo dia às seis horas da manhã o despertador a tira da cama, prepara o café para os dois, exceto aos domingos – quando cabe a ele esse ritual. Na mesinha da cozinha o rádio acompanha a alimentação matinal, conversam com o locutor, pouco entre si. Cada um na sua labuta, frente a frente apenas durante as refeições; no restante do tempo, a convivência é lado a lado. Ele nem percebe.

Setenta anos, esperou por esse dia.

Com o peixe assado, o *Jornal Nacional*, depois a novelinha ajuda a gastar o tempo, ela arruma a cozinha, passa roupa na sala; ele joga paciência. Deitam às dez horas, ela rola na cama. Ele nem percebe.

No parapeito da janela do apartamento ela espera a banda passar cantando coisas de amor. O IML chega horas depois.

| *tempestade no mar*

I

O Tempo se vai – é da natureza dele –, não adianta andar apressada, só aumenta o cansaço, a morte é certa. Por décadas agoniei para manter a família unida, formar a filha, manter a casa igual à do comercial de margarina. Tive sucesso na casa, o resto eu perdi para o Tempo, levou todos antes de mim. Tive bons momentos, consigo me lembrar de todos – cabem nos dedos das mãos.

II

O leiloeiro fez um bom trabalho, só preservou pequenos troféus, que levarei comigo para a Casa de Repouso. Homem gentil. Observou com discreta distância eu virar a chave da porta da frente pela última vez, chamou o táxi para me conduzir à nova residência. O choro não voltou, sequei no dia que o carro dos meus amores encontrou a carroceria do caminhão na Serra do Mar.

III

A recepcionista desfilou comigo pelos cômodos do asilo costurando lambiscáveis convivências, depois me entregou ao quarto individual – sem chave para virar; velhas não precisam, questão de segurança, a moça argumenta.

IV

O Tempo está no comando.

O último abrigo encolheu em metro quadrado, aumentou o vazio.

| *trava-língua*

No mundo regido pelo tempo, deus ajuda quem cedo madruga; ela não se importa, gosta da noite, não se dá bem com divindades. O professor lhe garante que os últimos serão os tímidos; ela desentende, não inveja os primeiros. A mãe lhe projeta sonhos familiares; ela entorna à vida – exposta à dor, rasga o sobrenome – torna-se mulher; singular. Na rua, parado no ponto, o cego da Clarice ainda masca chicles. Há esperança.

| *truco*

Depois de trinta anos de trabalho na mesma repartição, ela pega a bolsa e retira-se para a aposentadoria. Para na padaria, se presenteia com um maravilhoso quindim, saboreia no caminho para casa, com a ponta da língua recolhe pedacinhos do coco guardados entre os dentes, mastiga um a um. Em casa arremessa o casaco na poltroninha rosa; os sapatos, deixa sobre o tapete. Na cozinha prepara o tira-gosto, abre o vinho, comemora a vida.

| *xadrez*

Freia o óvulo
Goza sangue
Avança mundos
Perpetua-se sem anestesia

Este livro foi revisado segundo o Novo Acordo Ortográfico da Língua Portuguesa.

Direção editorial
Lizandra Magon de Almeida

Coordenação editorial
Luana Balthazar

Produção editorial
Mariana Oliveira

Preparação de original e revisão
Lindsay Viola

Capa e projeto gráfico
Laura Del Rey

Diagramação
equipe Editora Jandaíra

Maria Helena Ferreira Xavier da Silva/ Bibliotecária - CRB-7/5688

Brêtas, Ana Cristina P.
B844c Cem vezes uma / Ana Cristina P. Brêtas. - São Paulo: Jandaíra, 2020.
216 p. ; 20 cm.

ISBN 978-65-87113-15-9

1. Contos brasileiros - literatura. 2. Literatura brasileira. 3. Mulheres - Condições sociais. 4. Mulheres e literatura. I. Título.

CDD B869.3

jandaíra
www.editorajandaira.com.br
atendimento@editorajandaira.com.br
(11) 3062-7909

fonte: Alkes | *papel*: Pólen Soft 80g.
impresso por Vox Gráfica em São Paulo
~ setembro de 2020 ~